Vydalo nakladatelství Dialog, Seifertova 1480, 436 01 Litvínov v roce 1999.
Vyrobilo Victory, s.r.o. Litvínov.
Vytiskla tiskárna Grafiatisk, s.r.o. Děčín.

Návrh obálky Viktor Švejda.
Grafická úprava Marek Radics a Ervín Rosenkranz za podpory Dity Hanzalové a Jiřího Švejdy.

Česká republika
Czech republic
Tschechische republik
Чешская республика

2000

Dej osud bojů nám, co muž a rek jich snese,
pak ale nad hlavou ať ráno rozbřeskne se,
z červánků slunce vyskoč, lehni českým polem –
buď v Čechách bílý den a plno růží kolem.

Jan Neruda
Zpěvy páteční

PRAHA

Tančící dům, jedna z nových architektur na pravém břehu Vltavy.

The Dancing House, one of the new architectural styles on the right bank of the river Vltava.

Das „Tanzende Haus" - eine von den neuen Architekturen am rechten Moldauufer.

„Танцующий дом", одна из новинок архитектуры на правом берегу Влтавы.

PRAHA - VÁCLAVSKÉ NÁMĚSTÍ

Místo kudy procházely dějiny, místo, kde se mnohdy rozhodovalo o osudu národa.

Václavské square. Place closely connected with the history of the country, where decisions on the nations fate were made.

Wenzelsplatz. Stelle wo die Geschichte hindurchgegangen ist, Stelle wo es manchmal über das Schicksal der Nation entschieden wurde.

Вацлавская площадь. Место, где проходила история, место, кде во многом решалась судьба народа.

PRAHA

Celkový pohled na část Prahy s Karlovým mostem, který spojuje Malou Stranu se Starým městem s řadou románských, gotických, renesančních a barokních domů.

A complete view of the part of Prague with Charles bridge that connects Malá Strana with the Old town and many Romanesque, Gothic, Renaissance and Baroque houses.

Gesamtblick auf einen Teil vom Prag mit der Karlsbrücke, die die Kleinseite mit der Altstadt verbindet, mit einer Reihe von romanischen, gotischen, Renaissance - und Barockhäuser.

Общий вид на часть Праги с Карловым мостом, соединяющим Малую сторону со Старым городом, с рядом знаний в романском, готическом, ренессансном и барочном стилях.

PRAHA

Od konce 9. století, kdy stálo na místě dnešního hradu knížecí hradiště, vznikalo centrum rodícího se českého státu. Nejdříve sídlo jeho knížat, později králů a v jeho moderní historii prezidentů. Celá staletí se utvářela tato nejkrásnější pražská dominanta.

From the end of the 9th century, when a princely fortified settlement stood on the place of today's castle, the centre of the originating Bohemian state started to come into existence. First Bohemian princes would stay there. Then their place was taken by kings and - later still, in modern history - presidents would come and settle. It was for centuries that the Castle-Prague's most beautiful dominant acquired its shape.

Ende des 9. Jahrhunderts, als an Stelle der heutigen Burg eine fürstliche Burgstätte war, entstand hier das Zentrum des werdenden Tschechischen Staates. Zuerst war es der Sitz seiner Fürsten, später der Könige und in der modernen Vergangenheit wurde es zum Sitz der Präsidenten. Diese schönste Prager Dominante formte sich durch Jahrhunderte.

С конца 9-го столетия, когда на месте сегодняшнего кремля был княжеский замок, выростал центр зараждающегося чешского государства. Когда-то местропроживание князей, позже королей и в его современной истории резиденция президента. Несколько столетий формировалась эта красивейшая часть Праги.

PRAHA - STAROMĚSTSKÉ NÁMĚSTÍ

Náměstí s komplexem budov Staroměstské radnice s gotickou vě-ží a orlojem (1410) a řadou dalších překrásných historických budov, bylo v minulosti i současné době častým svědkem významných u-dálostí české státnosti.

The square - including the Town Hall with its Gothic tower, the astronomical clock (1410) and a number of other magnificent ancient buildings - has witnessed many a crucial event during the centuries of Bohemian statehood.

Der Markplatz mit dem Gebäudekomplex des Altstädter Rathauses mit dem gotischen Turm und der Aposteluhr (1410) und einer Reihe weiterer wunderschöner historischer Bauten, war in der Vergangenheit und Gegenwart oft Zeuge bedeutender Begebenheiten tschechischen Staatswesens.

Площадь, с комплексом строений старой городской ратуши с готической башней и курантами (1410 г) а также другими прекрасными историческими зданиями, была в прошлом и настоящем времени частым свидетелем знаменательных событий чешского государства.

PRAHA

Také v noci má Praha nevšední kouzlo.

There is something special about Prague at night - it is the irresistible glamour.

Auch in der Nacht ist Prag zauberhaft schön.

И вечером Прага обладает невероятным волшебством.

PRAHA

Ungelt na Starém městě pražském, zrekonstruovaný komplex historických budov, kde nyní najdeme různé obchody, restaurace a divadlo.

Ungelt in the Old Town square of Prague, a reconstructed complex of historical buildings, where today there are many shops, a restaurant and a theatre.

Das Ungelt in der Prager Altstadt, restaurierter Komplex von historischen Gebäuden, wo man verschiedene Geschäfte, Restaurants und ein Theater finden kann.

Унгелт в пражском Старом городе, реконструированный комплекс исторических зданиий, где сейчас находятся различные магазины, рестораны и театр.

PRAHA

Židovský hřbitov na území bývalého židovského města asanovaného koncem 19. století, který se zde zachoval spolu s gotickou Staronovou synagogou.

The Jewish Cemetery within a previous Jewish town, demolished at the end of the 19th century. The Cemetery was preserved with the Old-New Synagogue.

Jüdischer Friedhof auf dem Gebiet, der ehemaligen am Ende des 19. Jahrhunderts assanierten jüdischen Stadt, der hier gemeinsam mit der gotischen Altneuen Synagoge erhalten geblieben ist.

Еврейское кладбище на территории бывшего еврейского города, благоустроенного в конце 19-го столетия, сохранившее здесь готическую Староновую синагогу.

BEZDĚZ

Hrad Bezděz byl zbudován v letech 1264-78 na čedičové homoli a majestátně se tyčí nad nedalekým Máchovým jezerem u Doks.

Bezděz castle was built between 1264-78 on a basalt hill with the shape of a sugar loaf and it overlooks the Mácha lake at Doksy.

Burg Bezděz wurde in den Jahren 1264-78 auf einem Basaltkegel errichtet und ragt oberhalb vom Mácha See bei Doksy majestätisch empor.

Замок Бездез, построенный в 1264-1278 г. на базальтовой вершине, величественно возвышается над недалеким Маховым озером у Докс.

MNICHOVO HRADIŠTĚ

Město Mnichovo Hradiště bylo založeno v polovině 13. století. V době krále Jiřího z Poděbrad bylo v 15. století vypáleno lužickými křížáky a znovu postaveno. Barokní zámek z let 1697-1703 vznikl přestavbou původní středověké tvrze. K baroknímu kostelu sv. Tří králů byla v letech 1723-24 přistavěna kaple sv. Anny, do které byly v roce 1785 převezeny ostatky Albrechta z Valdštějna. Je zde i lapidárium cenných barokních a empírových plastik (Braun, Jelínek, Platzer a jiní).

The town of Mnichovo Hradiště was founded in the middle of the 13th century. In the times of Jiří from Poděbrady, i. e. in the 15th century, Lusatian crusaders destroyed the town by fire. Soon it was rebuilt again. The baroque chateau dating back to the years 1697-1703 was built on the walls of the original medieval fortified settlement. Later-in 1723-24-St. Anne's Chapel was annexed to the local baroque Three Saint Kings' church. To the Chapel, the remains of Albrecht of Wallenstein were brought in 1785. In adition, the lapidarium of valuable baroque and Empire plastic art presenting works of Braun, Jelínek, Platzer and others, in available.

Die Stadt Mnichovo Hradiště wurde in der Hälfte des 13. Jh. angelegt. Im 15. Jahrhundert, in der Zeit des König Jiří von Poděbrad, wurde sie von Lausitzer Kreuzfahrern niedergebrannt und wieder neu aufgebaut. Das Barockschloss aus den Jahren 1697-1703 entstand durch den Umbau der ursprünglich mittelalterlichen Feste. Zur Barockkirche zu den Hl. Drei Königen wurde in den Jahren 1723-24 noch die Kapelle der Hl. Anna zugebaut, in die 1785 die Gebeine Albrechts von Wallenstein überführt wurden. Es befindet sich hier auch ein Lapidarium wertvoller Barock- und Empireplastiken von den Bildhauern Braun, Jelínek, Platzer u a. m.

Город Мнихово Градиште был основан в первой половине 13 столети. Во время короля Иржи из Подебрад в 15 столетии, город был сожжен лужицкими крестоносцами и затем построен снова. Замок в стиле барокко (1697-1703) возник перестройкой первоначальной средневековой крепости. В 1723-24 годах к костелу Святых Трех королей была пристроена часовня Святой Анны, в которую в 1785 году были перенесены останки Альбрехта из Валдштейна. Также здесь находится коллекция ценных скульптур в стиле барокко и ампир (Браун, Елинек, Платцер и др.)

LIDICE

Památník obětem fašistické zlovůle za 2. světové války. Dne
10. června 1942 byla tato obec nedaleko Kladna srovnána gesta-
pem se zemí, muži byli na místě zastřeleni, ženy a děti odvezeny
do koncentračních táborů.

A memorial of the victims of Nazi malevolence during the 2WW.
10 June 1942 this municipality not far from Kladno was destroyed.
Men were shot on the spot, women and children were taken to con-
centration camps.

Gedenkstätte den Opfern der faschistischen Böswilligkeit im
2. Weltkrieg. Am 10. Juni 1942 wurde diese unweit von Kladno lie-
gende Gemeinde vom Gestapo dem Erdboden gleichgemacht,
Männer wurden an Ort und Stelle erschossen, Frauen und Kinder in
die Konzentrationslager transportiert.

Памятник жертвам фашистсково террора в годы второй ми-
ровой войны. 10 июня 1942г. эту деревню недалеко Кладно
гестапо сравняло с землей. Мужчины были расстреляны на
месте, женщины и дети увезены в концентрационный лагерь.

KARLŠTEJN

Hrad Karlštejn dal Karel IV. postavit v letech 1348 - 57 k uložení velkého souboru ostatků svatých a zabezpečení říšských korunovačních klenotů. Klenotem světového významu je také kaple sv. Kříže se stěnami vykládanými polodrahokamy a souborem 127 obrazů světců od malíře Theodorika (1357-1365).

Charles IV had the castle built in 1348-57 to put up a numerous set of saints' remains, and to secure the imperial coronation jewels. Part of the castle is the immensely valuable St. Cross Chapel, with walls inlaid with semi-precious stones, and a collection of 127 pictures of saints, made by Master Theodorik in 1357-65.

Die Burg Karlštejn liess Karl IV. in den Jahren 1348-57 zum Zweck des Aufbewahrens einer grossen Reliquiensammlung Heiliger und zur Sicherung des Reichskrönungsschatzes, bauen. Kleinod weltweiter Bedeutung ist auch die Kapelle zum Hl. Kreuz (Svatý kříž), deren Wände mit Halbedelsteinen und einem Komplex von 127 Heiligenbildern des Malers Theodorik (1357-65) geschmückt sind.

Замок Карлштейн был построен по приказу Карла IV. в 1348 - 57 годах и предназначался как место захоронения останков святых и место хранения императорских коронационных драгоценностей. Сокровищем мирового значения является также часовня Святого Креста, стены которой обложены полудрагоценными камнями и собранием 127 картин святых художника Теодорика (1357 - 1365).

VELTRUSY

Půvabný barokní lovecký zámeček byl postaven začátkem 18. století. Stojí uprostřed rozsáhlého anglického parku, který přechází v oboru a lužní les. V zámeckých interiérech byly natáčeny některé scény slavného filmu Miloše Formana „Amadeus".

The charming baroque hunting-lodge is situated in the centre of an extensive English park, merging into a game park and the adjoining mead forest. The chateau was built at the beginning of the 18th century. The Veltrusy Castle interiors have become popular after some of Miloš Forman's famous „Amadeus" scenes were shot there.

Das reizvolle barocke Jagdschloss wurde Anfang des 18. Jh. erbaut. Es steht in einem ausgedehnted englischen Park, der in ein Wildgehege und in Wald und Auen übergeht. In den Schlossräumen wurden einige Szenen aus dem berühmten Film, „Amadeus" von Miloš Forman gedreht.

Великолепный охотничъий замок в стиле барокко был построен в начале 18 столетия. Расположен посреди обширного английского парка, который переходит в лесную охотничью зону. В интерьерах замка снимались некоторые сцены известного фильма Милоша Формана "Амадеус".

PRŮHONICE

Pod novorenesančním zámkem je okrasný park o ploše 250 ha, založený roku 1885 A. Silvou-Tarouccou. Je v něm bohatá sbírka s více než 1200 druhy rostlin a dřevin, rozsáhlé alpinum a rosarium.

The castle, founded by A Silva-Taroucca in 1885, overlooks the magnificent decorative park of 250 hectares. Apart from a spacious alpinum and rosarium, visitors may admire the plentiful collection of more than 1200 wood and plant species.

Unter dem im Neurenaissancestil erbauten Schloss befindet sich ein Zierpark im Ausmuss von 250 ha, der im Jahre 1885 von A. Silva-Tarrouca angelegt wurde. Man findet hier dort eine reichhaltige Sammlung von mehr als 1200 Arten von Pflanzen und Hölzern, ein ausgedehntes Alpinum und Rosarium.

Под замком в стиле нового ренессанса расположен декоративный парк площадью в 250 га, который в 1885 г. основал А. Сильва-Тарокка. В нём богатое собрание более чем 1200 видов растений и деревьев, обширный альпиний и розарий.

HRAD KŘIVOKLÁT

Původně lovecký hrad uprostřed rozlehlých hvozdů se stal oblíbeným letním sídlem českých panovníků. Původní stavba ze 13. století byla koncem 14. století rozšířena a opevněna a na přelomu 15. a 16. století pozdně goticky přestavěna. V první polovině 19. století se Křivoklát stal oblíbeným místem romantických malířů a spisovatelů.

Being originally a hunting castle situated amidst extensive thick forests, Křivoklát soon became a popular summer residence of Bohemian rulers. The original 13th century construction had been extended and fortified towards the end of the 14th century. On the turn of the 15th and 16th century the reconstruction in the late Gothic style followed. In the first half of the 19th century the castle is known to have become a popular residence of Romantic painters and writers.

Ursprünglich Jagdburg, inmitten eines ausgedehnten Forstes, erlangte sie bei den böhmischen Herrschern Beliebtheit als Sommersitz. Der aus dem 13. Jahrhundert stammende Bau wurde Ende des 14. Jh. erweitert und befestigt und an der Wende des 15. zum 16. Jh. im spätgotischen Stil umgebaut. In der ersten Hälfte des 19. Jh. wurde Křivoklát zu einem beliebten Aufenthaltsort romantischer Maler und Schriftsteller.

Первоначалью охотничий замок посреди обширных дремучих лесов становится излюбленной летней усадьбой чешских правителей. Исходное здание, построенное в 13-м веке, было в конце 14-его века расширено и укреплено, а на рубеже 15-его и 16-его веков перестроено в позднеготическом стиле. В первой половине 19-его века Крживоклат становится излюбленным местом романтических художников и писателей.

PŘÍBRAM - SVATÁ HORA

Svatá Hora je jedna z nejcennějších staveb českého baroka. Původní gotická kaple byla barokně přestavěna mezi lety 1658-75 a doplněna ambity. Postupně byly přistavěny kaple, rezidence a brány. Od roku 1647 byla Svatá Hora cílem náboženských procesí, ročně přicházelo až 250 tisíc poutníků. Mariánský kult v Příbrami založil majitel zdejšího panství arcibiskup Arnošt z Pardubic, který sem přinesl mariánskou sošku. Ta byla v 15. století umístěna na Svatou Horu a v roce 1732 korunována zlatou korunkou. Gotická, 49 cm vysoká soška Madony s dětátkem z hruškového dřeva, je umístěna ve stříbrné skříňce na hlavním stříbrném oltáři kostela.

The Saint Mountain is one of the most valuable structures of Bohemian baroque sights. The original Ghotic chaple was rebuilt in 1658–75, and arcades were added. In the course of time, another chaple was built apart from the residence hall and the gates. Since 1647 the Saint Mountain has been the destination of religious processions, with more than a quarter of a million pilgrims appearing every year. The tradition of Mariolatry in Příbram is connected with the former owner of the local manor, archbishop Ernest of Pardubice, who brought a Marian statuette to these places. In the 15th century the statuette was located at the Saint Mountain, being finally crowned with a golden coronet in 1732. The Gothic statuette of Madonna with her child, carved out of pear wood is forty-nine centimetres high, and is currently located in the silver casket in the middle of the main silver church altar.

Svatá Hora (der Heilige Berg) gehört zu den wertvollsten Bauten des böhmischen Barocks. Die ursprünglich gotische Kapelle wurde innerhalb der Jahre 1658–75 umgebaut und durch einen Kreuzgang erweitert. Später wurden eine Kapelle, die Residenz und die Tore zugebaut. Vom Jahre 1647 an war der Heilige Berg das Ziel vieler religiöser Prozessionen, jährlich kamen bis zu 250 000 Wallfahrern. Den Marienkult von Příbram begründete der Besitzer der hiesigen Herrschaft, Erzbischof Arnošt von Pardubic, der eine Marienstatue hierher brachte. Diese wurde im 15. Jh. auf dem Heiligen Berg aufgestellt und 1732 mit einer goldenen Krone gekrönt. Die gotische, aus Birkenholz geschnitzte 49 cm hohe Madonnenfigur mit dem Kind, ist in einem silbernen Schränkchen auf dem silbernen Hauptaltar der Kirche untergebracht.

Святая Гора является одним из самых ценных строений чешского барокко. Первоначалью готическая часовня была гг. 1658-75 перестроена в стиле барокко и дополнена аркадами. Постепенно пристраивались часовни, резиденции и ворота. С 1647 года Святая Гора становится целью религиозных процессий, ежегодно слюда приходило до 250 000 паломников. Мариинский культ в Пржибраме основал владелец здешнего имения архиепископ Арношт из Пардубиц, который принёс сюда статуэтку Марии. В 15. веке её поместили на Святаю Гору, а в конце 1732 г. увенчали золотой короной. Готическая статуэтка Марии с ребёнком из крушногорского дерева, 49 см в высоту, помещена в серебряном шкафчике на главном серебряном алтаре храма.

JABLONEC NAD NISOU

Přehrada v Jablonci nad Nisou je rekreační oblast města, které je
známé především výrobou bižuterie. Leží v údolí Bílé Nisy v Ji-
zerské pahorkatině.

Dam in Jablonec nad Nisou is a recreational resort of the town. The
town is famous particularly for jewellery production, it is situated in
the Bílá Nisa valley in the Jizerské hills.

Talsperre in Jablonec nad Nisou ist ein Erholungsgebiet der Stadt,
die vor allem durch Schmuckerzeugung bekannt ist, liegt im Flusstal
von Bílá Nisa in Jizerská pahorkatina (Isergebirgisches Gebirgsland)
- Hügelland.

Плотина у Яблонца-на-Нисе - место отдыха горожан. Город
известен прежде всего производством бижутерии, лежит в
долине Белой Нисы на Изерской возышенности.

HRAD STŘEKOV

Hrad Střekov u Ústí nad Labem byl postaven na začátku 14. století z pověření Jana Lucemburského, v roce 1479 pak doplněn pozdně gotickými prvky. Poslední stavební ú-pravy provedli v 16. století Lobkovicové, kteří hrad záhy opustili. V 19. století v období romantismu byl částečně obnoven a pro svoji malebnost a romantickou polohu se stal oblíbeným výletním místem. Skladatel Richard Wagner zde byl inspirován k některým motivům opery Tannhauser.

The castle was built at the beginning of the fourteenth century at the commission of John of Luxemburg. In 1479 the castle was re-decorated and numerous late Gothic elements were added. The last reconstruction works were made by the house of Lobkovitz who later left the castle, however. In the nineteenth century Romanticism period, the castle was partially redecorated, and - because ofits picturesqueness and rather romantic location - it became a popular excursion place. It was at the Střekov Castle, too, that the composer Richard Wagner, would search for inspiration when composing his well-known Tannhauser.

Die Burg Střekov wurde zu Beginn des 14. Jahrhunderts im Auftrage von Jan Luxemburg gebaut, im Jahre 1479 dann durch spätgotische Elemente ergänzt. Die letzten Bauveränderungen liessen im 16. Jahrhundert die von Lobkovic durchführen, aber gleich darauf verliessen sie die Burg. Im 19. Jh., der Zeit des Romantismus, wurde sie teilweise erneuert und wegen ihrer malerischen und romantischen Lage wurde sie zu einem beliebten Ausflugsziel. Der Komponist Richard Wagner fand hier Inspiration zu einigen Motiven seines Tannhäuser.

Замок Стржеков у Усти-на-Лабе построен в начале 14 века по распоряжению Яна Люксембурского, затем в 1479 году дополнен элементами поздней готики. Последние строительные доработки произвел в 16 веке род Лобковиц, который потом замок неожиданно покинул. В 19 веке, во время романтизма замок был частично обновлен и благодаря своей живописности и романтическому расположению стал любимым многими местом отдыха. Композитор Р. Вагнер был здесь вдохновлен на некоторые мотивы оперы "Танхаизер".

KADAŇ

Náměstí s kašnou a morovým sloupem v historickém centru. Město leží na rozhraní Doupovských hor a Mostecké pánve.

The square with a fountain and a column commemorating the plague is situated in the historical centre. The town is on the boundaries with Doupovské Mountains and Most basin.

Marktplatz mit Brunnen und Pestsäule im historischen Zentrum. Die Stadt liegt an der Scheide zwischen Doupovské hory (D. Gebirge) und Mostecká pánev. (M. Becken)

Площадь с фонтаном и колонной, воздвигнутой в честь избавления от чумы, в историческом центре. Город лежит на рубеже Дуповских гор и Мостской котловины.

KRUŠNÉ HORY

Krušné hory jsou v letním i zimním období častým cílem vyznavačů různých druhů sportů.

The Krušné mountains are both summer and winter frequent goal of those keen on practising sports.

Erzgebirge (Krušné hory) - ist in der Sommer- sowohl auch in der Winterzeit ein häufiges Ziel der verschiedensten Sportliebhaber.

В Крушные горы в летний и зимний период зачастую стремятся сторонники различных видов спорта.

LIBEREC

Náměstí s radnicí. Město je význačné centrum dění ve východní části severních Čech. Je položeno v Liberecké kotlině mezi Ještědským hřbetem a Jizerskými horami.

A square with the town hall. The town is a significant centre in the east of North Bohemia, situated in Liberecká basin between Ještědský ridge and the Jizerské mountains.

Marktplatz mit Rathaus. Die Stadt ist ein bedeutendes Zentrum des östlichen Gebietes von Nordböhmen, dies in Liberecká kotlina (J. Talkessel) zwischen Ještědský hřbet (Jeschkener Bergkamm) und Isergebirge liegt.

Площадь с ратушей. Город является важным жизненным центром в восточной части Северной Чехии, расположен в Либерецкой котловине между Ештедским хребтом и Изерскими горами.

LIBEREC

Ve sklenících botanické zahrady jsou k vidění exotické rostliny, v a-
kváriích pak mořský svět.

Exotic plants in the greenhouses of the botanical garden and sea
life in the aquariums are displayed.

In Gewächshäusern des botanischen Gartens sind exotische
Pflanzen zu sehen, in Aquarien dann die Meereswelt.

В оранжереях ботанического сада вы увидите экзотические
растения, в аквариумах - представителей морской фауны.

JEŠTĚD

Již od poloviny 19. století patří Ještěd (1012 m) k oblíbeným turistickým cílům. V roce 1906 byla na jeho vrcholu postavena turistická chata, která v roce 1963 vyhořela. Na jejím místě byla vystavěna moderní restaurační a spojová budova. Autor projektu ing. arch. Karel Hubáček obdržel za toto unikátní dílo Perretovu cenu, nejvyšší ocenění Mezinárodní unie architektů.

The peak of Ještěd (1,012 metres high) has been a favourite destination for tourists since the 1850s. A early as in 1906 a chalet was built there. Unfortunately, it was destroyed by fire fifty-seven years later. In its place modern dining and communication facilities have been built. For his unique project, ing. arch. Karel Hubáček was awarded the prestigious Perret Prize, ranking among the top appraisals of the International Union of Architects.

Schon von der Hälfte des 19. Jahrhunderts an, gehörte der Ještěd mit seinen 1012 m zu den beliebten Wanderzielen. Im Jahre 1906 wurde auf dem Gipfel eine Touristenbaude errichtet, die 1963 abbrannte. An ihrer Stelle wurde ein modernes Restaurant mit Einrichtungen für das Kommunikationswesen errichtet. Autor des Projektes war Ing. Karel Hubáček, der für dieses Unikat den Perret-Preis, die höchste Auszeichnung der Internationalen Union der Architekten, erhielt.

Ещё с начала 19 века принадлежит гора Ештед (1012 м) к одним из любимых туристических мест. В 1906 году на его вершине был построен туристический домик, но в 1963 году его уничтожил пожар. На его месте была построена новая современная башня, которая служит как место отдыха и используется для служеб связи. Автор проекта архитектор Карл Губачек, за ето уникальное строение, был удостоен Перретовой премии, наивысшей оценкой Международного общества архитекторов.

MOST

Centrum nově postaveného města, jehož stará část ustoupila povrchové těžbě hnědého uhlí.

The centre of a newly built town where the old part was demolished because of coal mining activities

Zentrum der neu erbauten Stadt, derer alter Teil dem Braunkohletagebau weichen mußte.

Центр вновь построенного города, старая часть которого уступила место поверхностной добыче бурого угла.

PANSKÁ SKÁLA

Přírodní rezervace Panská skála s „varhany" nedaleko Nového Boru. Je nejkrásnější ukázkou sloupcovité odlučnosti čedičové horniny. Od roku 1895 je chráněna jako nejstarší geologická rezervace v Čechách.

Reservation Panská skála (rock) with organs not far from Nový Bor. It shows basalt rock and its columns. From 1895 it is protected as the oldest geological reservation in Bohemia.

Naturschutzgebiet Panská skála mit "Basaltorgel" in der Nähe von Nový Bor. Es handelt sich um eine Probe der säulenartige Scheidungsfähigkeit vom Basaltgestein. Seit dem Jahr 1895 ist sie als das älteste geologische Naturschutzgebiet in Böhmen geschützt.

Природный заповедник „Панская скала" с „оргбном" недалеко Нового Бора. Это уединенный экспонат столбообразных горных базальтовых пород. С 1895 г. охраняется как самый старый заповедник в Чехии.

PŘESTANOV

Památník bitvy u Přestanova a Chlumce nedaleko Ústí nad Labem. V roce 1813 zde spojená vojska rakouská, ruská a pruská porazila Napoleonova maršála Vandama. V bitvě padlo 36 000 mužů.

Memorial of the Battle of Přestanov and of Chlumec not far from Ústí nad Labem. In 1813 allied Austrian, Russian and Prussian armies defeated Napoleon`s marshal Vandamme. In the battle 36 000 men died.

Denkmal der Schlacht bei Přestanov und Chlumec in der Nähe von Ústí nad Labem. Im Jahr 1813 besiegten hier die vereinigten österreichisch-russisch-preussischen Truppen den Napoleons Marschall Vandamm. Der Schlacht fielen 36000 Männer zu Opfer.

Памятник в честь битвы у Пршестанова и Хлумца недалеко Усти-на-Лабе. В 1813 году объединенные русские, австрийские и прусские войска одержали здесь победу над наполеоновским маршалом Ван Даммом. В битве погибло 36 000 человек.

ŘÍP

S památnou horou Říp je spojena legenda o příchodu praotce Čecha. Na vrcholu Řípu dal český kníže Soběslav I. postavit na paměť svého velikého vítězství nad vojskem německého císaře Lothara v bitvě u Chlumce roku 1126 románskou rotundu.

It is the memorable Hill of Říp that the legend about the arrival of the Czech parallel to Henquist and Horsa is connected with. On the top of the hill a Romanesque chapel was built by the Bohemian duke Soběslav I. It is to commemorate the duke's famous victory over the armies of the German emperor Lothar. The battle took place near Chlumec in 1126.

Mit dem denkwürdigen Berg Říp ist die Legende vom Kommen des Urvaters der Tschechen verbunden. Am Gipfel des Berges liess der böhmische Fürst Soběslav I. eine romanische Rotunde erbauen, zum Gedenken an seinen grossen Sieg über das Heer des deutschen Kaisers Lothar in der Schlacht bei Chlumec (Kulm) im Jahre 1126.

С памятной горой Ржип связана легенда о приходе праотца Чеха. На вершине горы Рип приказал чешский князь Собеслав 1 построить романскую ротонду, в честь своей великой победы над войском немецкого императора Лотара в битве у Хлумца в 1126 году.

LÁZNĚ TEPLICE

Léčebným zdrojem teplických lázní je termální Pravřídlo o teplotě 42 °C. Prameny teplé léčivé vody byly známy již za Keltů v době římské. Největší rozkvět Teplic nastal v 1. polovině 19. století, kdy se staly velkým společenským střediskem - „Salónem Evropy". Navštívili je v té době J. W. Goethe, Ludwig van Beethoven, Richard Wagner, N. Paganini, Fryderyk Chopin, F. Liszt a řada dalších osobností.

The therapeutic effects of the Teplice Spa are based on the thermal Ancient Srping, spouting continually water forty-two degrees Celsius warm. Local hot-water springs are said to have been known even by the Celts, i. e. as early as in Roman times. The town fully flourished particularly in the first half of the 19th century. At that time the town had become the dominant cultural and social centre or - in other words - „the Salon of Europe", and many a celebrity, such as J. W. Goethe, Ludwig van Beethoven, Richard Wagner, Nicolo Paganini, Fryderyk Chopin, Ferenz Liszt and others would come and enjoy their stay.

Heilmittel in Lázně Teplice (Teplitz) ist die Urquelle, die Thermalwasser von 42 °C hervorbringt. Die Heilkraft der warmen Quellen war schon den Kelten in der Zeit der Römer bekannt. Seine grösste Blüte erreichte Teplice in der ersten Hälfte des 19. Jh. und wurde zu einem grossen gesellschaftlichen Zentrum, „Salon Europas" genannt. Zu dieser Zeit weilten hier Persönlichkeiten wie J. W. Goethe, Ludwig van Beethoven, Richard Wagner, N. Paganini, Fryderyk Chopin, Franz Liszt und eine Reihe anderer.

Лечебным источником теплицких курортов является терминальный ключ с температурой 42 °C. Источники теплой лечебной воды были еще известны при Кельтах во времена Римской империи. Наивысший расцвет Теплиц наступил в первой половине 19 столетия, когда стали крупным общественным центром - "Салоном Европы". В то время курорт посетила И. Гете, Людвиг ван Бетхновен, Р. Вагнер, Никола Паганини, Ф. Шопен и много других известных людей.

TEREZÍN

Národní hřbitov v Terezíně nedaleko Litoměřic, kde jsou pohřbeny oběti nacistické okupace. V terezínské Malé pevnosti byla zřízena za 2. světové války věznice. Ve Velké pevnosti bylo Ghetto.

National cemetery in Terezín not far from Litoměřice, where victims of Nazi regime are buried. In Terezín's Small Fortress a prison was arranged during the 2nd World War. A ghetto was established within the Big Fortress.

Nationalfriedhof in Terezín unweit von Litoměřice, wo die Opfer der nazistischen Besatzung begraben sind. In der sgn. Kleinen Festung wurde im 2. Weltkrieg Gefängnis errichtet. In der sgn. Grossen Festung war das Ghetto.

Национальное кладбище в Терезине недалеко Литомержице, где похоронены жертвы нацистской оккупации. В терезинской Малой крепости в годы второй мировой войны находилась тюрьма, в Большой крепости - гетто.

TISKÉ STĚNY

Pískovcové skalní město severně od Ústí nad Labem, cíl pěších turistů a horolezců.

Sand stone formation north of Ústí nad Labem, a place where many tourists and climbers aim.

Sandsteinfelsenstadt nördlich von Ústí nad Labem, beliebtes Ziel der Wanderer und Bergsteiger.

Скалистый песчаниковый город севернее Усти-на-Лабе, цель многих пеших туристов и скалолазов.

ÚŠTĚK

Město severovýchodně od Litoměřic s řadou historických domů.

Situated north-east of Litoměřice with many historical buildings.

Nordöstlich von Litoměřic liegende Stadt mit einer Reihe historischer Häuser.

Город северо-восточнее г. Литомержице с рядом исторических зданий.

PRAVČICKÁ BRÁNA

Pravčická brána ve Hřensku v chráněné krajinné oblasti Labské
pískovce je největší přírodní skalní brána ve střední Evropě.
Výška jejího oblouku je 16 m, rozpětí u paty brány je 26,5 metru.

The Gate is to be found in Hřensko, a village situated in the
protected environmental area called Sandstones of the Elbe.
It is known as the biggest natural rock gate in central Europe,
with the upper level of its arch and the gate span being sixteen
and almost twenty-seven metres, respectively.

Das Prebischtor in Hřensko (Herrnskretschen), im Natur-
schutzgebiet der Elbsandsteinfelsen, ist das grösste natürliche
Felsentor in Mitteleuropa. Die Höhe des Torbogens ist 16m, die
Entfernung am Fusse 26,5 m.

Правчицкий утес Гженска в охраняемой области Лабского
песчанника, являается крупнейшим скалистым утесом
в средней Европе. Его высота достигает 16 метров, рассто-
яние у основания 26,5 м.

MĚSTO DĚČÍN

Hlavní dominantou města Děčína je na 50 m vysokém ostrohu při soutoku Labe a Ploučnice renesanční zámek, který byl koncem 18. století barokně upraven. V roce 1835 byl na zámku hostem hudební skladatel Fryderyk Chopin, který zde složil „Děčínský valčík". K děčínskému zámku přiléhá terasovitá Růžová zahrada z konce 17. století s plastikami A. F. Kitzingera.

The main dominant of Děčín is the Renaissance Castle overlooking the confluence of the Elbe and Ploučnice from a fifty-meter high headland. Towards the end of the eighteenth century, the castle was rebuilt in baroque style. The composer Fryderyk Chopin is known to have been a guest at the castle in 1835, and it was here that Chopin's famous Děčín Waltz was composed. Adjacent to the castle, the terrace-like Rose Garden dating back to the seventeenth century is to be found, offering magnificent ornamental sculptures by A. F. Kitzinger.

Dominante der Stadt ist das auf einem 50 m hohen Felsvorsprung am Zusammenfluss der Elbe und des Polzens stehende Renaissanceschloss. Im 18. Jahrhundert wurde es dem Barockstil angepasst. Im Jahre 1835 war Fryderyk Chopin hier Gast und komponierte den „Tetschner Walzer". Zum Schloss gehört der terrassenförmig angelegte Rosengarten aus dem 17. Jh. mit Plastiken von A. F. Kitzinger.

Главной доминантой города Дечин является реннессансный замок на высоком 50-метровом мысе, на слияним рек Лабы и Плоучницы, который в конце 18-его века перестроен в стиле барокко. В 1835 году гостил в замке композитор Фредерик Шопен,который здесь сочинил "Дечинский вальс". К дечинскому замку прилегает террасообразный Розовый сад с конца 17-его века со скульптурами А. Ф. Китцингера.

MISTR LITOMĚŘICKÝ

Mezi nejcennější exponáty Severočeské galerie v Litoměřicích patří práce Litoměřického mistra, který je právem označován za prvního skutečně renesančního malíře v Čechách. Je to malíř neznámého jména i původu, školený nejspíše ve Švábsku, snad i v severní Itálii a později v Sasku. Působil přibližně mezi lety 1500 – 1530. Svým pronikavým tvůrčím přínosem dovršil vývoj české pozdně gotické malby a dovedl ji na úroveň i do předních poloh středoevropské renesance.
V Litoměřicích se dochovalo několik křídel velkého oltáře. Otevřený předváděl výjevy ze života P. Marie, zavřený výjevy Kristova utrpení.

Among the most valuable exhibits of the North-Bohemia gallery in Litoměřice, works of the Litoměřice Master, the virtually first Bohemian Renaissance painter, are currently kept. As for both his name and origin, they remain unknown, yet he seems to have got some schooling in Swabia and - most presumably - in northern Italy as well as Saxony. He is estimated to have been in practice between 1500 and 1530. With his penetrating creative work, the Master of Litoměřice brought his own unique contribution to the acme of the Bohemian late Gothic school of painting, bringing it up to a foremost level in the field of mid-European Renaissance.
It is in Litoměřice where several wings of the big altar have survived. The so - called „open" altar displays views from Holy Virgin's life, while the „closed" one contains scenes depicting Christ's suffering.

Unter die wertvollsten Exponate der Nordböhmischen Galerie in Litoměřice gehören die Arbeiten des sogenannten Meisters von Litoměřice, der mit Recht als der erste wirkliche Renaissance - Maler in Böhmen bezeichnet wird. Es ist dies Maler unbekannten Namens und Herkunft, möglicherweise in Schwaben ausgebildet, vielleicht auch in Norditalien und später in Saschsen. Er wirkte ungefähr zwischen 1500 und 1530. Durch seine Gestaltungskraft leistete er einen bahnbrechenden Beitrag und vollendete die Entwickung der tschechischen spätgotischen Malerai und brachte sie auf das Niveau und auch in die vorderen Reihen mitteleuropäischer Renaissance.
In Litoměřice befinden sich einige Flügel eines grossen Altars. Geöffnet zeigt er Szenen aus dem Leben der Jungfrau Maria, geschlossen Bilder aus dem leiden Christi.

К наиценнейшим экспонатам Северо-чешской галереи в г. Литомержице относятся работы литомержицкого Мастера, который по праву считается первым действительно ренесансным художником в Чехии. Это был художник неизвестного имени и происхождения, обучавшийся скорее всего в Швабии, может быть также в северной Италии, а позднее в Саксонии. Период его творчества относится к промежутку лет 1500-1530. Своим проникновенным творческим вкладом завершил развитие чешского позднеготического искусства и вынес его на уровень ведущих позиций среднеевропейского ренессанса. В г. Литомержице сохранилось несколько крыльев большого алтаря. В раскрытом виде представлял сцены из жизни девы Марии, в закрытом-сцены страданий Христа.

KLÁŠTER V OSEKU

Cisterciácký klášter v Oseku, založený v roce 1199, prošel významnými etapami stavebního vývoje od románského slohu přes gotický až k baroknímu. Poslední pak vytvořila monumentální celek, který citlivě navazuje na starší architektonické části. Největší péče byla věnována kostelu, kde architekt Octavio Broggio vytvořil jeden ze svých nejpůsobivějších interiérů. Jeho účinek zvýšil i podíl sochařské a malířské výzdoby.

The Osek Cistercian Monastery, founded in 1199, has undergone important architectural phases, and traces of the Roman, Gothic and even baroque styles are still apparent. It was in the baroque style that a monumental complex, impressionably linking with the older architectonic parts of the monastery, was built. The church became undoubtedly the object of particular interest, and there the Italian architect Octavio Broggio managed to create one of his most impressive interiors. Its effect has even been strengthened by sculpture and painting trimmings.

Das Cistercienserkloster in Osek, gegründet im Jahre 1199, durchlief bedeutende Etappen baulicher Entwicklung und das vom romanischen Stil über den gotischen, bis hin zum Barockstil. Der letzte schaffte dann ein monumentales Ganzes, welches sich in die älteren architektonischen Teile einfügte. Die grösste Aufmerksamkeit wurde der Kirche gewidmet, wo der Architekt Octavio Broggio eines seiner wirkungsvollsten Interieurs schaffte. Sein Effekt wurde noch durch den Anteil, den Malerei un Skulpturen haben, gesteigert.

Цистерианский монастырь в г. Осек, основанный в 1199 г., в процессе строительства прошёл выдающимися стилями от романского, через готику по барокко. В последнем из упомянутых, создан монументальный комплекс, который чутко связан с более старшими архитектурными частями. Наибольшее внимание было уделено костёлу, в котором архитектор Октавио Броджио создал один из своих самых впечатляющих интерьеров. Его эффект усиливают также скульптуры и художественная отделка.

Altera nunc rerum facies, me quero, nec adsum:
Non sum qui fueram, non pudor esse sini.

ZÁMEK DUCHCOV

Koncem 18. a v první polovině 19. století se stal duchcovský zámek významným kulturním střediskem, proslaveným dodnes pobytem velkých postav z dějin evropské kultury, návštěvami J. W. Goetha, Fryderyka Chopina, Friedricha Schillera a Ludwiga van Beethovena. Po roce 1785 zde dožil svůj pohnutý život Giacomo Casanova, který zde roku 1798 zemřel a byl pohřben.

In the end of the eighteenth century and in the first half of the twentieth century, the Duchcov Chateau became a prominent centre of cultural life, and real European cultural celebrities - such as J. W. Goethe, Fryderyk Chopin, Friedrich Schiller or Ludwig van Beethoven - would come and stay. In the years after 1785, Giacomo Casanova decided to spend the end of his agitated lifetime at the chateau. In 1798 he died at Duchcov, and is buried there.

Ende des 18. und in der ersten Hälfte des 19. Jh. wurde das Schloss in Duchcov (Dux) zu einem europäischen Kulturzentrum, berühmt durch die Anwesenheit grosser Persönlichkeiten wie J.W. Goethe, Fryderyk Chopin, Friedrich Schiller und Ludwig van Beethoven. Noch heute bekannt durch Giacomo Casanova, der nach dem Jahre 1785 nach einem abenteuerlichen Leben hier seinen Lebensabend verbrachte und 1798 auch hier starb und begraben wurde.

В конце 18-ого и в начале 19-ого веков стал духцовский замок значительным культурным центром, прославленным и до сего дня пребыванием великих фигур истории европейской культуры. Его посетили И. В. Гёте, Фридерик Шопен, Фридрих Шиллер и Людвиг ван Бетховен. С 1785 года здесь доживал свою бурную жизнь Джакомо Казанова, который в 1798 году здесь умер и был похоронен.

KARLOVY VARY

Město bylo založeno ve 14. století při horkých pramenech císařem Karlem IV., po kterém nese jméno. V roce 1370 dostalo město privilegia Královského města. Od 18. století byly Karlovy Vary uznávány za nejproslulejší evropské lázně. V lázních často přebýval J. W. Goethe, roku 1712 je navštívil car Petr Veliký. K léčbě chorob žaludečních, střevních a jaterních a nemocí z poruch výměny látkové je využíváno 12 teplých minerálních pramenů (42-72 °C). Vřídlo, nejvydatnější z nich, tryská až do výše 10-15 m.

The town was founded by the emperor Charles IV in the 14th century around the local hot springs. In 1370 the town was awarded the privileges of a Royal town. In the 18th century, Carlsbad started to be recognized as Europes' most famous spa resort. It was there that J. W. Goethe would often stay. In 1712, Carlsbad was even honoured to welcome Pierre the Great, the Russian czar. Twelve mineral springs (with a temperature reaching 42-72 degrees Celsius) are currently used to cure the diseases of stomach, bowels, liver and metabolism. The amplest spring - called Vřídlo - gushes out its waters to the height of 10 to 15 metres.

Die Stadt wurde im 14. Jahrhundert von Kaiser Karl IV., wegen seiner heissen Quellen, gegründet. Sie erhielt deshalb auch seinen Namen. Im Jahre 1370 bekam sie die Privilegien einer königlichen Stadt. Vom 18. Jahrhundert an war Karlsbad als das berühmteste europäische Bad anerkannt. Oft weilte hier J. W. Goethe, 1712 war Zar Peter der Grosse zu Gast. Zur Heilung von Magenleiden, Darm- und Leberkrankheiten, sowie Stoffwechselkrankheiten, werden 12 hiesse Mineralquellen (42-72 °C) genutzt. Der ausgiebigste Sprudel stösst sein Wasser in eine Höhe von 10-15 m.

В 14 столетии у горячих источников императором Карлом IV. был заложен город, по имени императора город и несет свое название. В 1370 году город получил привилегию Королевского. Начиная с 18 столетиа Карловы Вары являются одним из самых известных европейских курортов. На курорте часто отдыхал И. Гете, а в 1712 годы город посетил царь Петр Великий. К лечению желудочных, кишечных, печеночных заболеваний и заболеваний сбязанных с нарушением обмена веществ на курорте используют 12 теплых источников (42-72 °C). Один из ключей бьет на высоту 10-15 метров.

MARIÁNSKÉ LÁZNĚ

Mariánské Lázně, které léčí nemoci kloubové a dýchacích cest, poruchy látkové výměny a nemoci ledvin, si získaly také mezinárodní věhlas. J. W. Goethe, Mark Twain, F. Chopin, R. Wagner a mnoho dalších význačných osobností zde v minulosti hledalo zdraví. Patřil k nim i anglický král Eduard VII. Mnoho lázeňských a veřejných stylových budov spolu s četnými parky a okolními lesy propůjčuje lázním nevšední kouzlo. Patří k nim i lázeňská kolonáda s hrající fontánou.

Is another Bohemian spa resort. It has become famous world-wide particularly among those suffering from respiratory organs diseases, joint, kidney and metabolism diseases. In the past, J. W. Goethe, Mark Twain, F. Chopin, R. Wagner and dozens of othercelebrities - including the English King Edward VII - used to come and look for remedy in the local spa. An abundance of magnificent stylish constructions located in numerous parks and surrounded by the neighbouring forests, that's only part of the local atmosphere, dominated by the spa colonnade with its musical fountain.

Marienbad, wo Gelenkskrankheiten, Krankheiten der Atemwege, des Stoffwechsels und der Nieren behandelt werden, hat sich ebenfalls einen internationalen Namen erworben. J. W. Goethe, Mark Twain, R. Wagner, F. Chopin und viele andere berühmte Persönlichkeiten suchten hier Heilung. Auch der englische König Eduard II. gehörte dazu. Viele öffentliche und zum Bad gehörende, im Stil ihrer Zeit erbaute Gebäude, zusammen mit den reichen Parkanlagen und den umliegenden Wäldern, verleihen dem Bad einen ungewöhnlichen Zauber. Dazu gehört auch die Kolonnade mit der spielenden Fontaine.

Марианские Лазне, курорты, на которых лечат болезни суставов, дыхательных систем, нарушение обмена веществ и почечные болезни, как и Карловы Вары, известны в целом мире. И. Гете, Ф. Шолен, Марк Твен, Р. Вагнер и много других выдающихся личностей в прошлом поправляло здесь здоровье. К их числу принадлежал и английский король Эдуард VII. Много курортных и общественных стилизованных зданий, с множеством парком придают курорту необычное волшебство. К ним относится и колонада с играющим фонтаном.

FRANTIŠKOVY LÁZNĚ

Trojici lázní doplňují v této oblasti Františkovy Lázně. Prosluly léčením ženských nemocí, poruch výměny látkové a nemocí oběhového ústrojí. Využívají řadu léčebných pramenů. Z nejznámějších jsou Glauberovy. Lázně byly založeny roku 1793, kdy byla první lázeňská sezóna, a nazvány podle císaře Františka I. Městský soubor se zachovanou raně klasicistní dispozicí se třemi souběžnými ulicemi podává přehled o vývoji architektury 19. století.

Františkovy Lázně rank among the west-Bohemian spa resort trio, famous for treating women diseases, as well as metabolism and circulatory diseases. A number of curative springs - including the best-known Glauber Spring-is used.The spa was founded in 1793, and it got its name after the emperor František I. Even nowadays the urban complex with its preserved early classicist disposition and the three parallel streets reflects the early 19th century architecture development.

Das Bäderdreieck in diesem Gebiet ergänzt Franzensbad. Bekannt geworden ist es durch die Heilung von Frauenkrankheiten, Stoffwechsel- und Kreislaufstörungen. Es werden dazu eine Reihe von Heilquellen genutzt. Die bekannteste ist die Glauberquelle. Gegründet wurde das Bad im Jahre 1793, da verlief die erste Badesaison. Den Namen erhielt die Stadt nach Kaiser Franz I. Die städtische Bebauung, mit erhaltenen Gebäuden im frühklassizistischen Stil, mit drei gleichlaufenden Gassen, geben eine Übersicht über die Entwicklung der Architektur im 19. Jahrhundert.

Тройку курортов в этой области дополняют Франтишковы Лазне. Известный лечением женских болезней, нарушения обмена веществ и болезней кровеносной системы. На этом курорте используют несколько лечебных источников. Самые известные из них Глауберовы. Курорт был основан в 1793 году, когда открывался первый курортный сезон и назван был в честь императора Франтишка 1. Городской архитектурный ансамбль в стиле раннего классицизма с тремя параллельными улицами дает представление о развитии архитектуры 19 столетия.

TEPLÁ

Město Teplá je vzdáleno 12 km od Mariánských Lázní. V roce 1193 byl jižně od města založen klášter premonstrátů. V areálu kláštera je i stará knihovna z roku 1666 a nová knihovna, postavená v letech 1902–10. Obě obsahují na 80 000 svazků s četnými rukopisy a prvotisky. Krásný je kostel Zvěstování P. Marie, původně románský z let 1197–1232.

The town of Teplá is not very far – only about 12 kilometres – from Mariánské Lázně. On the southern outskirts of the town, there was – in 1193 – founded the Premonstratensian monastery. In the monastery the old library, dating back to 1666, still exists. Apart from that, the new library is available. It was built in 1902–10. In both libraries, more than 80.000 volumes, numerous manuscripts and incunabules await those who are interested. Last but not least, there's the Lady Day Church, which has survived in its original Romance style since the years of its construction, i. e. 1197–1232.

Die Stadt Teplá ist 12 km von Mariánské Lázně (Marienbad) entfernt. Im Jahre 1193 wurde südlich der Stadt ein Kloster des Prämonstratenser Ordens gegründet. Im Areal des Klosters ist eine alte Bücherei aus dem Jahre 1666 und eine neue, gebaut in den Jahren 1902–1910. Beide haben an die 80 000 Bände mit vielen Handschriften und Erstdrukken. Herrlich ist die Kirche zur Verkündigung der Jungfrau Maria, ursprünglich romanisch, aus den Jahren 1197–1232.

Город Тепла находится 12 км от г. Мариянские Лазне. В 1193 г. был южнее города основан монастырь премонстратов. На территории монастыря находится старая библиотека (1666 г.) и новая библиотека постоенная в 1902-1910 годах. Обе содержат 80 000 книг, включая рукописи и первопечатны книги. Прекрасный костёл провозвещания Девы Марии постоенный в романском стиле в 1197-1232 пг.

KLATOVY

Náměstí s renesanční radnicí a Černou věží. Město v Klatovské kotlině na jih od Plzně.

The square with a Renaissance town-hall and a Black tower. The town is situated in the Klatovská basin south of Plzeň.

Marktplatz mit Renaissance Rathaus und mit dem Schwarzen Turm. In Klatovská kotlina (K. Talkessel), südlich von Plzeň (Pilsen) liegende Stadt.

Площадь с ренессанцной ратушей и Черной башней. Город расположен в Клатовской впадине южнее города Пльзень.

PLZEŇ

Plzeň je významné průmyslové centrum západních Čech. Světoznámé jsou pivovary Plzeňský Prazdroj založený r. 1842 a Gambrinus (1869). Městská památková rezervace s četnými historickými památkami svědčí o tom, že město založené kolem r. 1295 se stalo důležitým obchodním, kulturním a politickým střediskem. Mezi významné památky patří renesanční radnice postavená v letech 1554-58 Giovannim de Statio.

Plzeň is one of west Bohemia's important industrial centres, and the local Pilsener Prazdroj and Gambrinus breweries, established in 1842 and 1869 respectively, are known to have gained a world-wide reputation. The urban conservation reservation with its numerous historical sights currently reflects the fact that, being founded as early as in 1295, the town has become an important centre of business, cultural and political life. Amon important architectural sights, the Renaissance Town Hall should be mentioned. It was built by Giovanni de Statio in 1554-58.

Pilsen ist ein bedeutendes Industriezentrum Westböhmens. Weltberühmt sind die Bräuhäuser Pilsner Urquell, gegründet 1842 und Gambrinus (1869). Das städtische Denkmal-Schutzgebiet mit zahlreichen historischen Sehenswürdigkeiten beweist, dass die um das Jahr 1295 gegründete Stadt ein wichtiges Handels-, Kultur- und politisches Zentrum wurde. Zu den bedeutenden Sehenswürdigkeiten gehört das in den Jahren 1554-58 von Giovanni de Statio erbaute Renaissance-Rathaus.

Пльзень является крупным промышленным центром западной Чехии. Муровую известность имеют пивоваренные заводы Плзеньский Праздрой, основанные в 1842 году, и Гамбринус (1869 г.) Городской архитектурный заповедник с большим количеством исторических памятников, свидетельствует о том, что город, основанный в 1295 году, стал важным торговым, культурным и политическим центром. К числу знаменательных памятников относится и здание городской ратуши в стиле Ренессанс, которую в 1554-58 годах построил Джиованни де Статио.

BOUBÍNSKÝ PRALES

Státní přírodní rezervace je od roku 1858 jednou z nejstarších v Če-
chách. Jsou zde několik set let staré stromy, vzrostlé i s různými
deformacemi, jako jsou nádory, dvojité kmeny a podobně. Částí
pralesa vede 3,8 km dlouhá naučná stezka.

Is a state natural reservation. Founded in 1858, it remains one of the
oldest in Bohemia. Several hundred year-old spruce, fir and oak
trees can be found in the reservation, some of them with strangest
malformations (tumours, double stems, etc.). Part of the forest can
be explored from a 3,8 km long nature trail.

Das staatliche Naturschutzgebiet ist seit dem Jahre 1858 eines der
ältesten in Böhmen. Die Bäume sind hier einige hundert Jahre alt.
Fichten, Tannen, Buchen, hoch gewachsene und von Auswüchsen
deformierte, mit doppelten Stämmen u. a. Durch einen Teil des
Urwaldes führt ein 3,8 km langer Lehrpfad.

Самый старый (с 1858 года) государственный природный за-
поведник в Чехии. Здесь растут несколько сотен лет старые
деревья - ель, пихта, бук - выросшие с различными деформа-
циями, например двойные стволы, наросты и т.п. Через пра-
лес ведет 3,8 км длинная прогулочная тропа.

ZÁMEK HLUBOKÁ NAD VLTAVOU

Ve druhém pololetí 13. století vznikl na místě dnešního zámku královský hrad. Ten byl koncem 16. století přestavěn na renesanční zámek a v letech 1707-28 za Schwarzenberků v zámek barokní. Na reprezentační sídlo knížat Schwarzenberků, kteří zámek vlastnili od roku 1661 až do konce druhé světové války, byl upraven v letech 1841-71. Přestavba mu dala dnešní podobu v romantické tudorské gotice. Vyjímečně krásné jsou i interiéry zámku s cennými uměleckými předměty.

On the place of today's chateau a royal castle had been built in the second half of the 13th century. In the end of the 16th century it was rebuilt into a Renaissance chateau, and-in 1707-28-the Schwarzenberg kin had it rebuilt in the baroque style. From 1661 till the end of World War II, the chateau was in the possession of Schwarzenberg dukes. They again had the chateau converted in 1841-71. After the reconstruction the chateau got its present, i. e. romantic Tudor Gothic shape. Of particular beauty is the interior of the castle, including dozens of immensely valuable objects of art.

In der zweiten Hälfte des 13. Jh. entstand anstelle des heutigen Schlosses eine königliche Burg. Diese wurde Ende des 16. Jh. zu einem Schloss im Renaissancestil umgebaut und in den Jahren 1707-28 unter der Herrschaft der Schwarzenberks in ein Barockschloss umgestaltet. Zum Repräsentationssitz veränderten es die Schwarzenberks, denen das Schloss von 1661 bis zum Ende des zweiten Weltkriegs gehörte, in der Jahren 1841-71. Durch den Umbau erhielt es seine heutige Gestalt in romantischer Tudor-Gotik (englische Gotik). Ausnehmend schön ist die Innenausgestaltung des Schlosses mit wertvollen Kunstgegenständen.

Во второй половине 13 столетиа на месте сегодняшнего замка возникла королевская крепость. В конце 16-го столетия крепость была перестроена в стиле ренессанс, а в годах 1707-28 при правлении Шварценберков, которым замок принадлежал с 1661 года до конца Второй мировой войны, была опять перестроен. Перестройка придала замку его сегодняшний вид в стиле тудорской готики романтизма. Исключительно красивым являются и интерьеры замка с ценными художестбенными предметами.

ČESKÉ BUDĚJOVICE

Největší město jižních Čech bylo založeno králem Přemyslem Otakarem II. kolem roku 1265. Město se začalo rychle rozvíjet a počátkem 14. století se stalo významným střediskem řemesel a obchodu. Dokladem vyspělého středověkého urbanismu je dodnes zachovaný půdorys historického jádra s největším čtvercovým náměstím v Čechách. Náměstí s podloubím a řadou gotických, renesančních a barokních domů dominuje Samsonova kašna z let 1720-1727.

The town is said to have benn founded by king Přemysl Otakar II in about 1265. It grew rapidly and - at the beginning of the 14th century - it had become an important craft and business centre. The preserved ground plan of the historical town nucleus - being currently the largest Bohemian square-shaped square - still remains a remnant of the advanced medieval town-planning. The square - with its arcade and dozens of Gothic, Renaissance and baroque houses - is dominated by the Sampson fountain which was installed there in 1720-27.

Diese grösste südböhmische Stadt wurde von König Otakar II. um das Jahr 1265 gegründet. Sie entwickelte sich schnell, und zu Beginn des 14. Jahrhunderts wurde sie zum bedeutenden Mittelpunkt für Handwerk und Handel. Beweis für den fortschrittlichen mittelalterlichen Urbanismus ist der bis heute erhaltene Grundriss des historischen Stadtkerns, mit dem grössten quadratischen Marktplatz in Böhmen. Dominante des Marktplatzes mit den Laubengängen und einer Reihe im gotischen-, Renaissance- und Barockstil erbauten Häuser, ist der Samson-Brunnen aus dem Jahre 1720-27.

Крупнейший город южной Чехии, был основан королем Пржемыслем Отакаром II в 1265 году. Город начал быстро развиваться и в начале 14 столетия стал крупным центром ремесел и торговли. Подтверждением развитого средневекого урбанизма является до сегодняшнего дня сохранившийся исторический центр города, с самой большой квадратной площадью в Чехии. Площадь, с аркадой и рядом строений в стилях готика, ренессанс и барокко, украшает фонтан Самсона построенный в 1720-1727 гг.

PÍSEK

Město založené jako královské před rokem 1254, dostalo název po zlato-nosném písku, který se rýžoval z Otavy. Město má řadu významných sta-vebních památek. Kamenný most přes Otavu z druhé poloviny 13. století je nejstarší dochovaný most v Čechách.

The Town is - by its origin - a Royal Town. It was founded before 1254 and got its name according to gold-bearing sand washed at the Otava river for gold. There is an abundance of architectural sights in Písek. The late 13th century stone bridge arching over the Otava is Bohemia's oldest construc-tion of the type.

Eine königliche Stadt, die vor dem Jahre 1254 angelegt wurde. Sie erhielt ihren Namen von dem goldführenden Sand, der aus dem Flüsschen Otava gewaschen wurde. Die Stadt besitzt eine Reihe bedeutender Baudenkmäler. Die Steinbrücke, die über die Otava führt, erbaut in der zweiten Hälfte des 13. Jh., ist die älteste erhaltene Brücke in Böhmen.

Город был основан как королевская резиденция в начале 1254 года, название получил от золотоносного песка, который промывался в ре-ке Отаве. Город имеет ряд неповторимых архитектурных памятки-ков, один из них каменный мост через р. Отаву (вторая половина 13 столетия), старейший сохранившийся мост в Чехии.

ZÁMEK BLATNÁ

Vodní zámek stojí uprostřed rybníka v jihozápadní části města. Na místě vodní tvrze z prvního pololetí 13. století byl později vybudován vodní hrad. Po mnoha přestavbách a úpravách - poslední novogotické byly provedeny v letech 1850-56 - dostal zámek dnešní podobu. K zámku patří rozsáhlý anglický park, ve kterém je chováno početné stádo daňků.

The water chateau stands amidst a pond in the south-west part of the town. On the place of the water stronghold a water castle was built later. After numerous rebuildings and set-ups (the last one - in the Neo-Gothic style-being finished in 1850-56), the chateau got its present looks. The Chateau is surrounded by a vast English park with a numerous herd of fallow deer grazing there.

Das Wasserschloss steht inmitten eines Teiches im südwestlichen Teil der Stadt. Anstelle einer Wasserfeste aus der ersten Hälfte des 13. Jh. wurde später eine Wasserburg errichtet. Nach vielen Umbauten und Erneuerungen - die letzte, neugotische, wurde in den Jahren 1850-56 durchgeführt, erhielt das Schloss sein heutiges Aussehen. Zum Schloss gehört ein ausgedehnter englischer Park in dem eine zahlreiche Herde von Damhirschen gehalten wird.

Водный замок посреди пруда в юго-западной части города. На месте водной крепости из первой половины 13-его века был позже построен водный замок. После ряда перестроек и изменений - последние, ново-готические, были проведены в 1850 - 56 годах - получил замок свой сегодняшний вид. К замку относится обширный английский парк, в котором разводится крупное стадо ланей.

ZÁMEK JINDŘICHŮV HRADEC

Počátkem 13. století založil Vítkovec Jindřich hrad zvaný „Novum Castrum" či „Nova domus". Jindřichovi potomci se zvali z Hradce, „Jindřichův" se v českém názvosloví užívalo od 15. století. Románský hrádek nahradila ve druhé polovině 13. století raně gotická stavba, která byla v 16. století přestavěna a rozšířena renesančně na honosný zámek s bohatým vnitřním vybavením.

At the beginning of the 13th century a castle called Novum Castrum or Nova Domus was founded by Henry, member of the Vítkov kin. His ancestors bore the attribute "of Hradec". The first part of the castle's name - "Jindřichův" started to be used in Czech terminology in the 15th century. On the place of the Roman small castle an early Gothic construction was built in the second half of the 13th century, and - in the 16th century - it was both rebuilt and extended into a luxurious Renaisance chateau with opulent inner equipment.

Zu Beginn des 13. Jahrhunderts erbaute Vítkovec Jindřich eine Burg, die er „Novum Castrum" oder „Nova domus" benannte. Die Nachkommen Jindřichs nannten sich „von Hradec" Jindřichův benuntze man nach der tschechischen Terminologie erst ab dem 15. Jahrhundert. Die romanische Burg ersetze in der zweiten Hälfte des 13. Jh. ein frühgotischer Bau, der im 16 Jh. weiderum umgebaut und zu einem prunkvollen Renaissanceschloss mit reicher Innenausstattung erweitert wurde.

В начале 13 столетия замок заложил Генрих Витковец и назвал его "Novum Castrum" или „Nova Domus". Потомки Генриха именовались из Градце а название Генрихов в чешской терминологии начали использовать с 15 столетия. Романский замок заменило во второй половине 13 века строение ранней готики, которое в 16 столетии было перестроено и расширено в великолепный реннессансный замок с богатым внутренним убранством.

HRAD ZVÍKOV

Hrad Zvíkov byl ve 13. století dostavěn jako reprezentační královské sídlo Přemyslem Otakarem II. Stál vysoko na strmých skalních útesech nad soutokem Vltavy a Otavy. Býval nazýván „Král českých hradů". Po dokončení Orlické přehradní nádrže voda dosáhla téměř k jeho základům a hrad ztratil svoji dominantní polohu.

The construction of the castle, standing high above the sheer cliffs and overlooking the Vltava and Otava confluence, had been completed in the 13th century, and it became a royal ceremonial seat of Přemysl Otakar II. Partly because of its location, the castle u-sed to the referred to as „The King Of Bohemian Castles". After the Orlík dam had been completed, however, its water level reached almost the castle's basement. It was than that the castle lost its dominant and unique location.

Der Bau der Burg wurde im 13. Jh. beendet und wurde zum Repräsentationssitz Přemysl Otakars II. Sie stand hoch auf steilen Felsenriffen über dem Zusammenfluss der Moldau mit der Otava. Man nannte sie „König der böhmischen Burgen". Nach Beendigung der Orlík-Talsperre reichte das Wasser bis fast zu ihren Grundmauern. Dadurch verlor die Burg ihre dominante Lage.

Замок Звиков был в 13-м веке достроен Пржемыслом Отакаром Вторым как представительная королевская резиденция. Встал высоко над крутыми утёсами скал, над слиянием рек Влтавы и Отавы. Его называли "Королём чешских замков". После постройки Орлицкой плотины вода достигла почти к его фундаменту и замок утратил свою доминантную позицию.

ZÁMEK ČERVENÁ LHOTA

Původní gotická vodní tvrz ze 14. století na skalnatém ostrůvku uprostřed rybníka byla po r. 1530 přestavěna na půvabný renesanční zámek. V roce 1641 získali Lhotu noví majitelé a dali zámek pokrýt novou, svítivě červenou krytinou. Tak vznikl název Červená Lhota.

The original 14th century water stronghold situated on a rocky island amidst a pond was after the year 1530 rebuilt into a charming Renaissance chateau. In 1641 the Lhota chateau got new owners and it was then that the roofing changed into luminous red. Hence the new name Červená (i.e. „red") Lhota.

Die ursprüngliche gotische Wasserfeste aus dem 14. Jh. erbaut auf einer felsigen Insel inmitten des Teiches, wurde nach dem Jahre 1530 zu einem reizvollen Renaissanceschloss umgebaut. Im Jahre 1641 ging das Schloss an neue Besitzer über, die es mit einer rot leuchtenden Bedachung versehen liessen. So entstand die Bezeichnung Červená Lhota.

Первоначально (14 век) готическая водяная крепость на скалистом островке. Посреди водоема, после 1530 года была перестроена в изящный замок реннессанс. В 1641 году замок Лгота перешел во владение новых хозяев, которые распорядились покрыть замок новой, светло-красной крышей. С тех пор возникло название Червена Лгота.

HRAD ORLÍK

Před napuštěním Orlické přehradní nádrže stál zámek na vysoké skále jako skutečné orlí hnízdo z pověsti o jeho založení. V roce 1802 původní zámek vyhořel, byl opraven, zvýšen o třetí patro a regotizován. Od roku 1715 vlastnila orlické panství knížata ze Schwarzenberku, mladši orlická větev tohoto rodu.

Before the Orlík dam being filled, the castle stood towering on a high cliff resembling a real eagle's aerie - just as the legend has it. Unfortunately, in 1802 the original castle was burnt out. Later it was reconditioned in Gotic style and another floor - this time the third - was added. Since 1715 the Orlík manor has been owned by princess and dukes of Schwarzenberk, belonging to the junior Orlík branch of the kin.

Vor dem Auffühlen der Talsperre Orlík stand das Schloss auf einem hohen Felsen, wie ein Adlernest, wie aus der Sage über die Gründung hervorgeht. Im Jahre 1802 brannte der ursprüngliche Bau nieder, wurde aber wieder aufgebaut, um das dritte Stockwerk erhöht und regotisiert. Vom Jahre 1715 gehörte die Herrschaft Orlík den Fürsten von Schwartzenberg, dem jüngeren Orlíker Zweig dieses Geschlechts .

Перед наполнением Орлицкого водохранилища замок распологался на высокой скале, как настоящее орлиное гнездо. В 1802 году первоночальное строение замка уничтожил пожар, замок был отремонтирован, достроен еще один етаж и добавлены готические мотивы. Начиная с 1715 года замок принадлежал младшей ветвы княжеского рода Шварценберкоб.

TŘEBOŇ

Starobylé město na řece Lužnici a nedalekým rybníkem Svět s vy-hlášenými podzimními výlovy a s třeboňskými kapry určenými na vánoční stůl.

An ancient town on the Lužnice river and lake Svět not far from Třeboň is famous for the autumn clearance and supplying carps for Christmass dinner.

Altertümliche Stadt am Fluss Lužnice mit unweit liegendem Teich Svět mit berühmten Herbstabfischungen und mit hiesigen Karpfen, die für die Weihnachtstafel bestimmt sind.

Старинный город на реке Лужнице. Находящийся недалеко от него пруд Свет знаменит своими осенним уловами тршебоньского карпа - неотьемлемого блюда рождест-венского стола.

KLEŤ

Na vrcholu Kleti (1083 m) byla v roce 1825 postavena rozhledna, jedna z nejstarších v Čechách. Je z ní překrásný kruhový rozhled do dalekého okolí. Za jasného počasí a dobré viditelnosti je vidět i část rakouských Alp.

On the top of the Kleť (1083 m) one of the country's oldest look-out towers was built in 1825. It still offers a magnificient panoramic view over the distant environs. When the weather is fine and visibility perfect, even parts of the Austrian Alps can be seen from the Kleť.

Auf dem Gipfel des Kleť (1083 m) wurde im Jahre 1825 ein Aussichtsturm gebaut, der zu den ältesten in Böhmen zählt. Man geniesst von dort einen herrlichen Rundblick in die weite Umgebung. Bei klarem Wetter sieht man einen Teil der österreichischen Alpen.

На вершине г. Клети (1083 м) в 1825 году была построена смотровая башня, одна из старейших в Чехии. С ее площадок открывается прекрасная круговая панорама ближайшихе окрестностей. При ясной погоде и хорошей видимости можно увидеть и часть австрийских Альп.

OHRADA

Barokní zámek nedaleko Českých Budějovic s pozoruhodnou expozicí lesnického, mysliveckého a rybářského muzea.

A Baroque chateau not far from České Budějovice with a remarkable exhibition of forestry, gamekeeping and fishing.

Barockschloss unweit von České Budějovice (Budweis) mit sehenswerter Ausstellung des Forst-, Jagd- und Fischermuseums.

Барочный замок недалеко г. Ческе-Будеёвице с замечательной экспозицией музея лесного хозяйства, охотничества и рыболовства.

LANDŠTEJN

Hrad v okrese Jindřichův Hradec ze začátku 13. století tvořený románským jádrem, zachována též románská kaple.

The castle in the district of Jindřichův Hradec from the beginning of 13.C., created by a Romanesque core and preserved chapel.

Burg vom Anfang des 13. Jahrhunderts im Landkreis Jindřichův Hradec, gebildet durch romanischen Kern, es ist auch eine romanische Kapelle erhalten geblieben.

Замок в районе Индржихув-Градец из начала 13-его столетия, построенный собственно в романском стиле. Сохранилась также романская часовня.

HRADEC KRÁLOVÉ - VELKÉ NÁMĚSTÍ

Centrum východních Čech s městskou památkovou rezervací.

A large square. The centre of Eastern Bohemia with a town architectural conservation area.

Grosser Marktplatz. Zentrum von Ostböhmen mit städtischem Denkmalschutzgebiet.

Центр Восточной Чехии с городским музеем-заповедником.

NÁCHOD

Celkový pohled v pozadí s vrchem Dobrošov
a Jiráskovou chatou.

A total view with the Dobrošov hill and Jiráskova cottage in the background.

Gesamtblick. Im Hintergrund Berg Dobrošov und
Jiráskova Hütte.

Общий вид. На заднем плане - холм Доброшов
и пансионат „Ираскова хата".

KRKONOŠE

Krkonoše jsou nejvýznamnější oblastí letní turistiky a zimních sportů v Čechách. Téměř celé území bylo pro mimořádnou přírodní hodnotu prohlášeno za Krkonošský národní park. Výrazným vrcholem hraničního hřebenu s Polskem je nejvyšší hora Čech Sněžka - 1620 m.

The Giant Mouintans are the most important Bohemian region for both summer hiking and winter sports activities. Being a unique natural phenomenon, almost the whole area belongs to the Giant Mouintans National Park. The dominant peak of the ridge on the border with Poland is Sněžka (1602 m), Bohemia's highest mountain.

Das Riesengebirge ist das bedeutendste Gebiet für Sommertouristik und Wintersport in Böhmen. Fast das gesamte Gebiet wurde wegen seiner ausserordentlichen Naturschutzpark erklärt. Der ausdrucksvollste Gipfel des Grenzkammes mit Polen, ist der höchste Berg Böhmens, die Schneekoppe (Sněžka) mit 1602 m.

Крконоше являются самой популярной в Чехии областью летнего туризма и зимних видов спорта. Почти вся территория, благодаря уникальной природной ценности и неповторимости, была объявлена Крконошским национальным парком. Самой выразительной вершиной, на граничащем с Полышей хребте, является гора Снежка - 1602 м - самая высокая в Чехии.

KRKONOŠE - OBŘÍ DŮL

Toto nejvyšší pohoří Čech díky svým přírodním krásám a snadné dostupnosti patří v letním i zimním období mezi nejvyhledávanější rekreační oblasti České republiky.

The Giantmountains. The highest mountains in the Czech republic are the most popular recreational areas thanks to the beautiful countryside - scenery and easy access both in the winter and summer.

Riesengebirge. Diese höchste Gebirgskette in Böhmen, gehört dank ihrer Naturschönheiten und der einfachen Zugänglichkeit in der Sommer- und Winterzeit zu den meist gesuchten Erholungsgebieten in der Tschechischen Republik.

Этот горный массив - наивысший в Чехии - благодаря своей природной красоте и легкодоступности в летнее и зимнее время относится к наиболее популярным местам отдыха в Чешской Республике.

PARDUBICE

Renesanční zámek, původně tvrz přestavěná na gotický vodní hrad, rozšířený pozdně goticky a renesančně v 16. století.

A Renaissance chateau, originally a castle rebuilt as a Gothic water castle, expanded in the late Gothic and Renaissance style.

Renaissanceschloss, ursprünglich eine in gotische Wasserburg umgebaute Feste, im 16. Jahrhundert spätgotisch und im Renaissancestil erweitert.

Ренессансный замок, прежде крепость, перестроенная на готический водный замок, расширенный в 16-том столетии в готическом и ренессансном стилях.

ADRŠPAŠSKÉ SKÁLY

Přírodní rezervací byly Adršpašské skály vyhlášeny již v roce 1932. Jsou severní částí celkového seskupení Teplicko-Adršpašských skal. Nejvíce je navštěvováno na skalní útvary bohaté Skalní město.

The Adršpach rocks have been a natural reservation since as early as 1932. They form the northern part of the Teplice-Adršpach configuration. Of particular visitors' interest is the Rock Town, rich in rock configurations.

Schon im Jahre 1932 wurden die Aderspacher Felsen, bekannt als Naturschutzgebiet, aufgesucht. Sie sind der nördliche Teil der Teplic-Aderspacher Felsgruppen. Am meisten besucht ist die umfangreiche Felsenstadt.

Природным заповедником Адршпашские скалы были объявлены ещё в 1932 году. Относятся к северной части Теплицко-Адршпашского массива. Чаще всего посещается так называемый Скалистый город, одно из красивейших горных мест.

SLAVOŇOV

Ve Slavoňově u Nového Města nad Metují je vzácná ukázka lidové dřevěné architektury, roubený kostel sv. Jana Křtitele z roku 1553.

Slavoňov at Nové město nad Metují - rare example of folk wooden architecture. The frame church of St. John Baptist from 1553.

In Slavoňov bei Nové Město nad Metují gibt es eine seltene Probe hölzerner Volksarchitektur. Es ist im Jahr 1553 erbaute Johannes der Täufer Holzkirche.

В Славоневе у Нового-Места-на-Метуе находится редкий экспонат народного деревянного зодчества. Здесь сохранился рубленый костел св. Яна Крестителя с 1553 г.

PECKA

Městečko Pecka s hradem gotického původu ze 14. století v Pod-
krkonošské pahorkatině nedaleko Nové Paky.

Pecka municipality with a Gothic castle dating from the 14.century in
Podkrkonošské hills not far from Nová paka.

Städtchen Pecka - mit ursprünglich gotischer Burg vom 14. Jahrhundert
in Podkrkonošská pahorkatina (P. Hügellandschaft) unweit von Nová
Paka.

Городок Пецка с замком готического происхождения из 14-го
столетия на Подкрконошской возышенности недалеко Нове-Паки.

HRÁDEK

Zámek u Nechanic západně od Hradce Králové. Byl postaven v letech 1839-1854 na Lubenském vrchu. Anglický park a obora.

Chateau near Nechanice, west of Hradec Králové. It was built between 1839 - 1854 on Lubenský hill. An English park and a deer game park.

Schloss bei Nechanice, westlich von Hradec Králové. Es wurde in den Jahren 1839 - 1854 am Lubenský Hügel erbaut. Englischer Park mit Wildgehege.

Замок у Неханице западнее Градец-Кралове. Построен в 1839-1854гг. на Лубенском холму. Английский парк и заповедник.

ZÁMEK OPOČNO

Na místě přemyslovského knížecího hradu vznikl v letech 1560-69 renesanční zámek s arkádami, který G. B. Alliprandi počátkem 18. století barokně upravil. V zámku je významná obrazárna italského malířství ze 16. -18. století, unikátně sbírka loveckých trofejí a zbraní. V jízdárně je expozice moderního malířství.

Where the Přemysl princes' castle stood hunders of years ago, a Renaissance chateau with beautiful arcades was built in 1560-69. At the beginning of the 18th century, it was rebuilt in a baroque style by G. B. Alliprandi. In the chateau there is a unique picture gallery with Italian sixteenth to eighteenth century paintings exhibits and, a unique collection of hunting trophies and weapons. Apart from that, there is also a modern painting exhibition in the chateau's riding hall.

Anstelle einer Burg der Přemyslidenfürsten entstand in den Jahren 1560-69 ein Renaissanceschloss mit Arkaden, die G. B. Alliprandi zu Beginn des 18. Jh. erneuerte. Im Schloss befindet sich eine bedeutende Bildergalerie italienischer Malerei aus dem 16.-18. Jh., eine einmalige Sammlung von Jagdtrophäen und Waffen. In der Reitschule ist eine Exposition moderner Malerei.

На месте Пржемысловского княжьего замка возник в 1560-69 годах ренессансный замок с аркадами, который в начале 18-его века обустроил Д. Б. Аллипранди в стиле барокко. В замке размещена выдающаяся ралерея итальянского искусства 16-18 го веков, уникальное собрание охотничьих трофеев и оружия. В манеже - экспозиция современного искусства.

KŘTINY

Interiér poutního barokního kostela Panny Marie ve Křtinách v okrese Blansko s freskami J. Etgense.

Interior of a pilgramage Baroque church of Holly Mary in Křtiny, district Blansko with frescos by J. Etgens.

Interieur der barocken Wallfahrtskirche der Jungfrau Maria in Křtiny, Landkreis Blansko, mit Fresken von J. Etgens.

Интерьер паломнического барочного костела Девы Марии в Крштинах в районе Бланско с фресками Й. Этгенсе.

BRNO

Zelný trh uprostřed s kašnou Parnas (1690-1696), v pozadí kostel sv. Petra a Pavla na Petrově.

The Zelný market with the fountain Parnas in the middle (1690-96), in the background St. Peter's and Paul's church at Petrov.

Krautmarkt in der Mitte mit dem Parnas-Brunnen (1690-96), im Hintergrund St.- Peter- und - Paul Kirche am Petersberg (Petrov).

Овощной рынок, в центре - фонтан Парнас (1690-1696 гг.), на заднем плане - костел св. Петра и Павла на холму Петров.

BRNO

Brněnské výstaviště bylo založeno v roce 1928 pro Výstavu soudobé kultury v Československu uspořádanou k desátému výročí založení republiky. V současné době je každoročně cílem vystavovatelů a obchodníků z celého světa, kteří sem přijíždějí za poznáním nových trendů ve vědě a technice.

The Brno fair - this exhibition area was established in 1928 for the Exhibition of contemporary culture in Czechoslovakia, held to commemorate the 10th anniversary of the establishment of the republic. At the present time it is a place where exhibitors and businessmen from all around the world come to meet and see new trends in science and technology.

Das Messegelände in Brno wurde für die "Ausstellung der zeitgenössischen Kultur in der Tschechoslowakei" im Jahr 1928 gegründet, die zum Anlaß des zehnten Jubiläums der Gründung der Republik veranstaltet wurde. Gegenwärtig kommen alljährlich Aussteller und Händler aus der ganzen Welt hierher, um die neuen Trends in der Wissenschaft und Technik kennenzulernen.

Выставочный комплекс в Брно был основан в 1928г. в связи с проведением „Выставки современной културы Чехословакии", организованной в честь 10-летнего юбилея основания республики. Проводимые в настоящее время ежегодные выставки в Брно - это желанная цель экспонентов и специалистов со всего мира, стремящихся познать здесь новые тенденции в науке и технике.

BRNO

Budova Mahenovy činohry v centru města byla otevřena v roce 1882 a byla prvním evropským divadlem osvětleným elektrickým proudem.

A building of the Mahen Drama Company in the town centre, was opened in 1882 and it was the first European theatre with electrical lighting.

Mahen Schauspielhaus im Stadtzentrum wurde im Jahre 1882 eröffnet und es war das erste europäische Theater mit elektrischer Beleuchtung.

Здание драматического театра им. Магена в центре города, открытое в 1882 г., было первым в Европе, имеющим электрическое освещение.

JAROMĚŘICE NAD ROKYTNOU

Rozprostírají se na pravém břehu řeky Rokytné. Barokní zámecký komplex z první poloviny 18. století na jižním úpatí Českomoravské vrchoviny v Jaroměřické kotlině na jih od Třebíče. Je to původně středověká tvrz ze 14. století a byla přebudována na renesanční zámek.

The premise of the baroque chateau dates from the first half of the 18th century. It is situated on the south foot of the Czechmoravian highland in Jaroměřice basin, south of Třebíč.

Der barocke Schlosskomplex aus der ersten Hälfte des 18. Jahrhunderts am südlichen Fusse der Böhmisch-Mährischen Höhe im Jaroměřický Becken südlich von der Stadt Třebíč.

Замковый комплекс в стиле барокко с первой половине 18-го века на южном склюнеЧешско-Моравской возвышенности в Яромержицкой котловине на юг от г. Тржебич.

JIŽNÍ MORAVA

Typická krajina jižní Moravy se stráněmi zarostlými vinicemi.

Typical countryside of South Moravia with meadows and vineyards.

Typische Landschaft in Südmähren mit Weinhängen.

Типичный пейзаж Южной Моравии с виноградниками на склонах холмов.

MIKULOV

Město vinařů západně od Břeclavi v Mikulovské vrchovině. Mikulov je malá enkláva slunné Itálie v jihomoravském regionu.

A town in a wine-growing area west of Břeclav in Mikulovská vrchovina (Mikulov highlands)

Winzerstadt westlich von Břeclav in Mikulovská vrchovina (M. Bergland).

Город виноделов западнее города Бржецлава на Микуловской возвышенности.

MORAVSKÝ KRAS - PUNKEVNÍ JESKYNĚ

Chráněná krajinná oblast o rozloze asi 100 kilometrů čtverečních na sever od Brna s četnými jeskyněmi, propastmi a říčkami. Krápníková jeskyně, kde jsou nádherné podzemní dómy a chodby s ojedinělým bohatsvím stalagmitů, stalaktitů, krápníkových vodopádů atd.

Punkva caves. A preserved area approximately 100 km², north of Brno, with many caves, gorges and streams.

Höhlenkomplex Punkevní jeskyně. Landschaftsschutzgebiet von der Gesamtfläche ca. 100 qkm, nördlich von Brno, mit vielen Höhlen, Schluchten und Flüsschen.

Пункевни пещеры. Охраняемая живописная область площадью 100 квадратных километров севернее Брно с многочисленными пещерами, пропастями и речушками.

OLOMOUC

Náměstí s morovým sloupem. Stotisícové město ležící na Hané v Hornomoravském úvalu na soutoku řeky Moravy a Bystřice. Do r. 1641 metropole Moravy, je městskou památkovou rezervací s neobyčejně bohatou historií, sahající až do doby Velké Moravy, a s mimořádným architektonickým bohatstvím.

The picture shows the square with the column commemorating the plague. The town has a hundred thousand inhabitants and is situated on the river Haná in Hornomoravský valley at the confluence of the river Morava and Bystřice. The town, which was the metropolis of Morava until 1641, is under a preservation order thanks to its remarkable history which goes back as far as The Great Morava and has exceptional architectural value.

Der Marktplatz mit Pestsäule. Die in dem Gebiet Haná liegende Stadt hat an die einhunderttausend Einwohner und verbreitet sich am Zusammenfluss der Flüsse Morava und Bystřice. Bis zum Jahre 1641 war sie die Metropole von Mähren, hat eine aussergewöhnlich reiche Geschichte, die bis zur Zeit des Grossmährischen Reiches hinreicht und verfügt über einen ausserordentlichen architektonischen Reichtum. Die Stadt liegt unter dem städtischen Denkmalschutz.

Площадь с столбом возавигнутым в честь избавления от чумы. Стотысячный город, лежащий в области Гана в Верхнеморавской лощине на слиянии рек Моравы и Быстрицы. До 1641 г. столица Моравии, городской заповедник с необыкновенно богатой историей, уходящей до времён Великой Моравии, с чрезвычайным архитектурным богатством.

OLOMOUC

Radnice

The Townhall

Das Rathaus

Ратуша

OPAVA

Město v Poopavské nížině ležící nad soutokem řek Opavy s Moravicí, severozápadně od Ostravy. Bývalé zemské hlavní město rakouského Slezska. Opava vznikla jako kupecká osada u brodu přes řeku Opavu na významné obchodní stezce spojující Jadran s Baltem (Jantarová stezka), v místě osídleném podle archeologických nálezů již od doby kamenné. Na snímku historické centrum.

The town is situated in the Poopavská lowland, which lies above the confluence of the river Opava and Moravice, Northwest from Ostrava. It is the former capital city of Austrian Silesia. Opava was developed from a mercantile settlement nearby the ford over the river Opava lying on a significant trading route (The Amber Path), which connected Adriatic Sea with the Baltic sea in an area inhabited already in the Stone Age, this is proved by archaeological excavations. The picture shows the historical centre.

Eine in der Poopavská Tiefebene oberhalb vom Zusammenfluss der Flüsse Opava und Moravice, nordwestlich von Ostrava liegende Stadt. Ursprüngliche Landeshauptstadt vom österreichischen Schlesien. Opava ist als eine Kaufmannssiedlung bei der Furt über dem Fluss Opava, auf einem bedeutenden Handelsweg, der die Adria mit der Ostsee verbindete (sgn. Bernsteinsteg), auf einem schon in der Steinzeit laut den archeologischen Funden besiedelten Gebiet entstanden. Auf dem Foto ist das historische Zentrum.

Город в Поопавской низменности, лежащий на слиянии рек Опавы и Моравицы на северо-запад от Остравы. Бывшая земская столица Австрийской Силезии. Опава возникла как купеческое поселение на выдающемся торговом пути, соединяющем Адриатическое и Балтийское моря (Янтарный путь), в месте, которое по археологическим находкам было заселено ещё в каменном веке. На снимке исторический центр.

OSTRAVA

Masarykovo náměstí. Město na soutoku Ostravice s Odrou. Ostrava vznikla sloučením 23 původně samostatných obcí. Její rozvoj za-čal v 19. století. Jedno z největších měst České republiky. Hraje významnou roli v oblasti kultury, vědy, školství i sportu. Má několik divadel, muzeí, filharmonii, galérii výtvarného umění, výstaviště na Černé louce, Vysokou školu báňskou, řadu odborných škol a vý-zkumných ústavů. Stavební památky z minulosti jsou v historickém jádru města a v jednotlivých čtvrtích, kdysi samostatných obcí.

The Masaryk square is shown on the picture. The town is situated on the confluence of the rivers Ostravice and Odra. Ostrava origi-nally arose from the connection of 23 independent villages. Its development started in the 19th century. It is one of the biggest towns in the Czech Republic playing a significant role in cultural, scientific, educational spheres, and in sport. It has several theatres, museums, concert halls, galleries of art, outside exhibition arias in a place called Černá Meadow, and there is also a mining college, number of specialised schools and research institutes. There are architecturally historical buildings in the old centre of the town and also in each quarter of what used to be independent villages.

Masarykplatz. Eine am Zusammenfluss von Ostravice und Odra liegende Stadt, die durch Fusion von 23 ursprünglich selbstständi-gen Gemeinden entstanden ist. Ihre Entwicklung begann im 19. Jahrhundert. Eine von den grössten Städten der Tschechischen Republik, die eine wichtige Rolle im kulturellen und wissenschaftlichen Bereich sowie im Schulwesen und im Sport spielt. Sie besitzt mehrere Theater, Museen, Kunstgalerien, eigene Philharmonie, das Messegelände auf Černá louka (Schwarze Wiese), die Bergakademie, eine Reihe von Fachschulen und von wissenschaftlichen Instituten. Die Baudenkmäler aus der Vergangenheit befin-den sich im historischen Stadtkern und in den einzelnen Stadtviertel, der einst selbstständigen Gemeinden.

Площадь Масарика. Город на стилянии рек Остравицы и Одры. Острава возникла объединением 23 исторически самосто-ятельных населённых пунктов. Её развитие началось в 19-м веке. Один из крупнейших городов Чешской Республики игра-ет выдающуюся роль в области култиры, науки, образования и спорта. Здесь есть несколько театров, музеев, филармония, галерея изобразительного искусства, выставка на Чёрном Лугу, Горный институт, ряд профессиональных училищ и иссле-довательских институтов. Памятники строительства прошлого помещены в историческом центре города и в отдельных кварталах первоначально самостоятельных населённых пунктов.

KRALICKÝ SNĚŽNÍK

Pramen řeky Moravy na jižním svahu Kralického Sněžníku v oblasti Jeseníků.

The river Morava spring at the south slope of Kralický Sněžník in the area Jeseníky mountains area.

Quelle des Flusses Morava an dem südlichen Hang von Kralický Sněžník in der Landschaft Jeseníky.

Источник реки Моравы на южном склоне Кралицкого Снежника в области Есеников.

BUCHLOVICE

Slunečné stráně s vinicemi u Buchlovic na Uherskohradišťsku. Nacházejí se pod malebným panoramatem Buchlova, Modly a Holého kopce. Toto městečko je proslulé zámkem a parkem.

Baroque chateau Buchlovice with a large English park and wine cellars not far from Uherské Hradiště.

Barockschloss Buchlovice mit ausgedehnten englischem Park und Weinkeller in der Nähe von Uherské Hradiště.

Барочный замок Бухловице с окружающим его английским парком и винными подвалами недалеко Угерске-Градиште.

SLAVKOV

Barokní zámek postavený kolem roku 1700 ležící v Litenčické pahorkatině východně od Brna. Tento zámek byl rodovým sídlem významné šlechtické rodiny Kouniců, která po několik generací vytvářela sbírku obrazů.

A Barocque castle built around 1700, situated in the Litenčická highlands, east of Brno.

Um 1700 erbautes Barockschloss, es liegt in Litenčická pahorkatina (L. Hügellandschadt) östlich von Brno.

Барочный замок, построенный около 1700г., возведен на Литенчицкой возвышенности восточнее Брно.

SLAVKOV U BRNA

Mohyla míru na vrcholu vápencového Prackého kopce na paměť padlých v bitvě u Slavkova, která vstoupila do evropských dějin jako místo Napoleonova vítězství v bitvě „Tří císařů" 2. prosince 1805.

Slavkov u Brna - a memorial at the top of the limestone Pracký kopec hill commemorating soldiers who died in the battle of Slavkov. This battle became famous in European history as the place where Napoleon won the battle of three Emperors on 2 December 1805.

Slavkov bei Brno - Friedensdenkmal auf dem Gipfel der Kalksteinanhöhe Pracký kopec zum Gedenken an die Gefallenen in der Schlacht bei Slavkov (Schlacht bei Austerlitz), die in die europäische Geschichte als Napoleonssiegstätte in der "Dreikaiserschlacht" am 2. Dezember 1805 eingetreten ist.

Славков-у-Брно - Мемориал мира на вершине Працкого холма в честь памяти павших в битве у Славкова (Аустерлица), вошедшей в европейскую историю как место победы Наполеона в „битве трех императоров" 2 декабря 1805 г.

VALAŠSKO

Typická valašská krajina v době žní.

Typical valach scenery during the harvest period.

Typische welscher Gegend in der Erntezeit.

Типичный валашский пейзаж во время жатвы.

BRUMOV - BYLINICE

Starý židovský hřbitov v Brumově-Bylinici jižně od Valašských Klobouk v Chmelovské hornatině.

Old Jewish cemetery in Brumov-Bylinice south of Valašské Klobuky in the Chmelovská hornatina hills.

Alter jüdischer Friedhof in Brumov-Bylinice südlich von Valašské Klobouky in Chmelovská hornatina (Ch. Gebirgsland).

Старое еврейское кладбище в Брумове-Быльнице южнее Валашске-Клобук на Хмелевской возвышенности.

VELEHRAD

Bazilika sv. Cyrila a Metoděje ve Velehradě, který je nejznámějším poutním místem na Moravě nedaleko Uherského Hradiště. Velehradský chrám (86 m dlouhá, po úpravách troj-lodní bazilika) navazuje na čtyřkřídlou stavbu kláštera, postavenou kolem rajského dvora.

Basilica os St. Cyril and Metoděj in Velehrad which is the most famous pilgrimage place in Moravia not far from Uherské Hradiště.

Heil. Cyrill und Method Basilika in Velehrad ist der bekannteste Wallfahrtsort in Mähren un-weit von Uherské Hradiště.

Базилика св. Кирилла и Мефодия в Велеграде, являющаяся самым известным местом паломничества в Моравии, недалеко Угерске-Градиште.

VELKÉ PAVLOVICE

Jeden ze sklepů této významné vinařské oblasti na jihu Moravy, ze které pocházejí značky jako je Ryzlink vlašský, Burgundské bílé, Neuburgské, Veltlínské zelené, Tramín nebo Frankovka.

One of the cellars of this renowned wine-growing area in the south of Moravia, from where such wines like: Ryzlink vlašský, Burgundian white, Neuburg, Veltlin green, Tramin or Frankovka.

Ein von den Kellern dieser bedeutenden Weingegend im Süden von Mähren, aus der die Marken wie Welscher Riesling, Weisser Burgunder, Neuburger, Grüner Weltliner, Tramín oder Frankovka herkommen.

Один из подвалов известной винодельческой области на юге Моравии, где производят марочные вина „Рислинг Влашский", „Бургундское белое", „Велтлинское зеленое", „Трамин" и „Франковка".

VLČNOV

Je rozložen v údolí kolem Vlčnovského potoka, 15 km jihovýchodně od Uherského Hradiště. Obec je známa pestrými kroji, tradiční jízdou králů a starohorským vínem, připomínaným již ve 14. století.

The picture shows a traditional celebration of the cavalery of the kings in Vlčnov in Slovácko, South of Uherské Hradiště.
The village is situated in a valley surrounding the Vlčnov brook, 15 kilometres Southwest of Uherské Hradiště. It is known for its colourful folk costumes, the traditional cavalry of the kings and the old mountain wine, which was mentioned in history from the 14th century.

Verbreitet sich im Tal vom Vlčnovský Bach, 15 km südöstlich von der Stadt Uherské Hradiště. Die Gemeinde ist durch buntfarbige Trachten, durch den traditionellen sgn. Königsritt und durch den hiesigen Wein, der schon im 14. Jahrhundert erwähnt wurde, bekannt.
Das traditionelle Fest "Der Königsritt" im Städtchen Vlčnov in der Mährischen Slowakei südöstlich von der Stadt Uherské Hradiště.

Расположен в долине возле Влчновского потока, 15 км на юго-восток от г. Угерске-Градиште. Населённый пункт известен пёстрыми народными костюмами, традиционной "ездой королей" и старогорскими вином, упоминаемымся ещё в 14. веке.

HRAD PERNŠTEJN

Hrad Pernštejn v okrese Žďár nad sázavou, 10km jihovýchodně od města Bystřice nad Pernštejnem, 1 km západně od obce Nedvědice. Jeden z nejmohutnějších a nejzachovalejších hradů, patřící mezi nejznámější v našich zemích. Pozdně gotická nedobytná pevnost s raně gotickým jádrem. Hrad je postaven na protáhlém nepravidelném půdorysu, vlastní jádro připomíná trojúhelník, jehož střed je vyplněn hradním palácem s charakteristickými ochozy a arkýři. Pernštejnský hrad je spojen s historií jednoho z nejstarších a nejmocnějších moravských rodů, pánů z Pernštejna. Vznik je opředen pověstí o uhlířovi, který přemohl divokého zubra a za to mu byl králem udělen šlechtický titul a erb. Počátky hradu sahají do 3. čtvrtiny 13. stol., kdy stavitelé a majitelé z Medlova začali vystupovat jako Pernštejnové.

The Pernštejn castle is in the county Žďár nad Sázavou, 10 kilometres Southeast of the town Bystřice nad Pernštejnem, and 1 kilometre Westward of the village Nedvědice. It is one of the largest and attractive castles, and is among the best known in our country. It was built on a piece of long, irregular land; its centre consists of a triangle, which contains a palace with characteristic gallery and orioles/bays. The castle is dated from the third quarter of the 13th century, when the builders and owners from Medlow started to use the name Pernštejn.

Die Burg Pernštejn im Landkreis Žďár nad Sázavou, 10 km südöstlich von der Stadt Bystřice nad Pernštejnem, 1 km westlich von der Gemeinde Nedvědice. Eine von den mächtigsten und am besten erhaltenen Burgen, die zu den bekanntesten in unseren Ländern gehört. Die Burg wurde auf einem länglichen unregelmässigen Grundriss erbaut, der eigene Kern erinnert an ein
Dreieck, wo in der Mitte das Burgpalais mit charakteristischen Galerien und Erker steht. Die Anfänge der Burg reichen in das dritte Viertel des 13. Jahrhunderts zurück, wo die Baumeister und Eigentümer von Medlov als Fam. Pernštejn aufzutreten begann.

Крепость Пернштейн в районе Ждяр-на-Сазаве, 10 км на юго-восток от г. Быстрица-над-Пернштейном, 1 км на запад от населённого пункта Недведице. Одна из самых могучих и сохранившихся крепостей, относящаяся к самым известным в наших краях. Горизонтальная проекция имеет вытянутую неправильную геометрическую форму, центр напоминает треугольник, посреди которого крепостной дворец с характерными портиками и эркерами. История крепости уходит в 3-ю четверть 13-его века, когда его строители и владельцы из Медлова начали выступать под именем Пернштейнов.

ZLÍN

Centrum Zlína s třídou Tomáše Bati a administrativní budovou akciové společnosti Svit, výrobcem obuvi. Na snímku je také vidět mrakodrap s obuvnickým muzeem. V roce 1894 založili Anna, Tomáš a Antonín Baťovi obuvnickou dílnu, která se stala základem budoucího velkého koncernu na výrobu bot. Výjímečné a zajímavé výrobky firmy nechal uchovávat již Tomáš Baťa. Sbírky byly poprvé zpřístupněny v roce 1931 ve zlínském zámku, v roce 1933 pak přemístěny na návrší nad městem do nově postaveného památníku Tomáše Bati. V původní muzejní budově je dnes Dům umění a sbírky jsou od roku 1959 vystaveny v přízemí správní budovy Baťova továrního komplexu. Postavil ji v roce 1938 architekt V. Karfík. Zlínské muzeum patří mezi největší svého druhu v Evropě.

The picture shows the centre of Zlín with its avenue called Tomáš Baťa and the administrative building of the share holding company Svit, the shoe producer. We also see from the picture the skyscraper, where there is a museum of shoemaking. In 1894 Ann, Tomáš, and Antonín Baťa established a shoemaking workshop, which was the start of the great dynasty of shoemaking. Tomáš Baťa was the first member of the family to collect the special and interesting products of the firm. The old museum is now the Arts Centre and from 1959 the collections are exhibited in the basement of the administrative building at Baťa's factory complex. The administrative building was built by the architect V. Karfík in 1938. The Zlín museum is one of the biggest of its kind in Europe.

Das Zentrum von Zlín mit der Tomáš Baťa Strasse und mit dem administrativen Gebäude der AG Svit, dem Shuhhersteller. Auf dem Foto ist auch das Hochhaus mit dem Schuhmuseum zu sehen. Im Jahre 1894 gründeten Anna, Tomáš und Antonín Baťa eine Schuhwerkstatt, die zum Kern des zukünftigen Schuhherstellungskonzerns wurde. Aussergewöhnliche und interreressante Firmenprodukte liess schon Tomáš Baťa aufbewahren. In dem ursprünglichen Museumgebäude befindet sich heute das Haus der Kunst und die Sammlungen sind seit dem Jahre 1959 im Erdgeschoss des Verwaltungsgebäude des Baťa-Betriebes ausgestellt. Das Gebäude wurde schon im Jahre 1938 vom Architekt V. Karfík erbaut. Das Museum in Zlín gehört zu den grössten seiner Art in Europa.

Центр Злина с проспектом Томаша Бати и административным зданием фирмы "Свит", изготовителем обуви. На снимке также видно небоскрёб с музеем сапожного ремесла. В 1894 году учредили Анна, Томаш и Антонин Батя сапожную, которая стала основой будущего крупного концерна по производству обуви. Исключительные и интересные изделия фирми начал собирать ещё Томаш Батя. В здании, которое раньше было музеем, сейчас Дом искусства, а экспонаты уже с 1959 года выставлены на первом этаже административного здания фабричного комплекса Бати. Построил его в 1938 году архитектор В. Карфик. Злинский музей относится к самым крупным своего рода в Европе.

ZLÍN

Zoologická zahrada Lešná ve Zlíně, nové pavilony pro tučňáky.

ZOO Lešná in Zlín, the new pavilions for penguins.

Zoologischer Garten Lešná in Zlín, neue Pavillons für Pinguine.

Солнечные склоны с виноградниками у Бухловиц в районе Угерске-Градиште.

ŽĎÁRSKÉ VRCHY

Žďárské vrchy jsou chráněnou krajinnou oblastí a patří k turisticky nejvyhledávanějším místům Českomoravské vrchoviny.

Preserved area that is part of the most attractive places of the Českomoravská vrchovina.

Žďárské vrchy ist ein Landschaftsschutzgebiet und gehört zu den turistisch atraktivsten Teilen der Böhmisch-Mährischen Höhe.

Ждярские холмы - охраняемая живописная область, относящаяся к наиболее популярным туристическим местам Чешско-Моравской возвышенности.

ZNOJMO

Město na řece Dyji ve Znojemské pahorkatině. Znojmo vždycky těžilo především ze své strategické polohy. Bylo strážcem významného přechodu na řece Dyji. V plánech knížete Břetislava I. patřilo k důležitým hradům na obranu českého státu proti sousední rakouské hranici. Přemyslovský hrad se stal jedním z nejdůležitějších středisek Moravy jak správně, tak i církevně. V podhradí vznikaly slovanské osady, z nichž vyrostlo dnešní Znojmo.

The town is situated on the river Dyje in the Znojmo hills. Znojmo has always been treasured for it's strategicaly position. Its occupation was to guard an important crossing on the river Dyje. According to the maps of prince Břetislav I. The town was one of the most important strategic castles, which protected the Czech kingdom from neighbouring Austria. The castle, which belonged to the Přemysl dynasty became one of the most important administrative and religious centres of Morava. The Slovenian settlements were established under the ramparts from which arose today as Znojmo.

Eine am Fluss Dyje, in Znojemská Hügelland liegende Stadt, Znojmo hatte schon immer eine strategisch vorteilhafte Lage gehabt und dadurch wurde zum Wächter eines bedeutenden Überganges am Fluss Dyje. In den Plänen des Fürsten Břetislav gehörte Znojmo zu den wichtigen Burgen für die Verteidigung des tschechischen Staates gegen die nachbarliche österreichische Grenze. Die Přemysliden-Burg wurdes zu einem der wichtigsten Verwaltungs- und Kirchenzentren von Mähren. In der Vorburg sind slawische Siedlungen entstanden, aus denen die heutige Stadt Znojmo herauswachste.

Город на реке Дые на Зноемской холмистости. Зноймо всегда изыскивало выгоду изсвоего стратегического положения. Было стражем важного перехода на реке Дые. В планах князя Бржетислава Первого принадлежало к важнейшим крепостям для обороны чешской державы от соседней Австрии. Пржемысловская крепость стала одним из важнейших центров Моравии, - как административных, так и церковных. Под крепостью создавались славянские поселения, из которых возникло сегодняшнее Зноймо.

PUSTEVNY

Socha mýtického slovanského boha úrody, Radegasta, stojící pod kótou 1105m při hřebenové cestě mezi Radhoštěm a Pustevnami, je dílem čechoamerického sochaře Albína Poláška (1879–1965), rodáka z Frenštátu nad Radhoštěm, kde mu byl v r. 1979 odhalen pomník. Od Radegasta vede k jihu stezka na Skalíkovu louku, vyhledávané rekreační středisko, položené ve výšce 945 m na svahu Radhošťského hřebenu.

The statue of the mythical Slovenian god of crops called Radegast is situated at the height of 1105 meters above sea level near by the path on the crest of the mountain between Radhošť and Pustevny. It was the work of a Czech-American sculptor Albin Polášek (1879 - 1965) a native of Frenštát nad Radhoštěm, where his memorial has stood since 1979. Skalikova meadow, which is a popular holiday resort situated 945 meters above see level on the slope of Radhošť crest and is joined with Radegast by a South pointed path.

Die Skulptur des mythischen slawischen Gottes der Ernte und Fruchtbarkeit des Radegast, die unter der Kote 1105 m am Kammweg zwischen Radhošť und Pustevny steht, ist ein Werk des amerikanischen Tschechen, des Bildhauers Albín Polášek (1879-1965), der in Frenštát pod Radhoštěm geboren ist, wo ihm auch ein Denkmal enthüllt worden ist. In südlicher Richtung von Radegast aus führt ein Wanderweg zu der Skalíkova Wiese, zum einen viel aufgesuchten Erholungsheim, dies in der Höhe von 945 m am Berghang von Radhošťský Kamm liegt.

Статуя мифического славянского бора урожая, Радегаста, стоящая под котой 1105 метров на хребте, по пути между Радгоштом и Пустевнами, является произведением чешско-американского скульптора Альбина Полашка (1879-1965), уроженца г. Френштат-над-Радгоштом, сде был в 1979 г. открыт его памятник. От Радегаста в южном направлении ведёт тропинка на Скаликов Луг, излюбленный центр отдыха, лежащий в уровне 945 м на склоне Радгоштского хребта.

PUSTEVNY

Dominanta malebných Moravskoslezkých Beskyd, oblíbené centrum zimních sportů nad Frenštátem pod Radhoštěm. Nad hotelem Tanečnice je horní stanice sedačkové lanovky, vedené na Pustevny z Trojanovic-Ráztoky na severním úbočí horstva.

Domination of the picturesque Moravskoslezské Beskydy mountains, popular as a winter sports centre above Frenštát pod Radhoštěm.

Dominante der malerischen Mährisch-Slezischen Beskiden, beliebtes Wintersportzentrum oberhalb von der Stadt Frenštát pod Radhoštěm.

Доминанта живописных Моравско-Силезких Бескидов, излюбленный центр зимних видов спорта над Френштатом-под-Радгоштем.

VALTICE

Barokní zámek vévodí městu nedaleko Břeclavi známému především svou vinařskou tradicí. Valtice byly oblíbeným místem umělců, básníků a spisovatelů, například národního umělce Petra Bezruče. Původně raně středověký hrad, proslulý rytířskými hrami, se stal koncem 14. století majetkem rodu Lichtenštejnů, kteří z Valtic vytvořili své rezidenční sídlo.

A Baroque chateau overlooking the town not far from Břeclav, famous for its wine-growing tradition.

Über der Stadt unweit von Břeclav, die insbesondere durch ihre Winzertradition bekannt ist, thront das Barockschloss.

Барочный замок господствует городу Валтице недалеко г. Бржецлав, известного прежде всего своими винодельческими традициями.

NÁMĚŠŤ NAD OSLAVOU

Dominanta města je na severovýchodním okraji kopce. Zámek nechal na místě starého hradu, pocházejícího ze 13. století, vybudovat v letech 1556–78 Jan starší ze Žerotína. V novém objektu působili křesťanští učenci, byla zde tiskárna, která později, po přemístění do Kralic, vytiskla známou Kralickou bibli. Žerotínové vybudovali na zámku rozsáhlou knihovnu, která po bělohorské bitvě byla převezena do polského Lešna a za 2. světové války ve Vratislavi bohužel zničena. Karel starší ze Žerotína prodal zámek Albrechtu z Valdštejna, od něho přešel do majetku Werderberků, naposledy až do roku 1945 jej vlastnili Haugwicové. Poté sloužil jako letní sídlo prezidenta republiky a roku 1952 v něm byly instalovány expozice.

The chateau is a dominating feature of the town on the Northwest side of the hill. It was built on the site of an old 13th century castle, by Jan senior of Žerotín in 1556 - 78. In this new building Christian scholars worked. There was also a printing works, which was used to print the famous Kralice bible, after it was moved to Kralice. The Žerotín dynasty built a large library in the castle, which was moved to a Polish town called Lešno after the battle at Bílá Hora and was unfortunately destroyed during the Second World War, while being kept in Vratislav, Karel senior of Žer otín sold the chateau to Albrecht of Valdštejn. Later it become the property of the Werderberk dynasty, and the last owners were the Haugwic dynasty who kept it until 1945, when it was changed to be the summer residence of the president of the republic and since 1952 was an exhibition installed.

Die Dominante der Stadt befindet sich auf dem nordöstlichen Rand des Hügels. Das Schloss ließ an Stelle der alten, aus dem 13. Jahrhundert stammenden Burg in den Jahren 1556-78 der Herr Jan der Ältere ze Žerotína erbauen. In dem neuen Objekt wirkten christliche Gelehrten, es war eine Druckerei hier, die später, wo sie nach Kralice umgesiedelt ist, die bekannte Kralická Bibel ausgedrückt hat. Die Herren von Žerotín bauten im Schloss eine umfangreiche Bibliothek auf, die nach der Schlacht am Weissen Berg nach Polen, in die Stadt Lešno transportiert wurde und im 2. Weltkrieg dann leider in Wroclaw verloren ging. Karel der Ältere von Žerotín veräusserte das Schloss an Albrecht von Wallenstein, von dem der Besitz an die Werderberger übergangen ist. Zuletzt, bis zum Jahre 1945 war es im Besitz der Herren v. Haugwitz. Nachher diente es als Sommerresidenz für den Präsidenten der Republik und im Jahre 1952 wurden hier Expositionen installiert.

Доминанта города размещается на северо-восточном краю холма. Замок на месте старой крепости с 13-его века построил в 1556-78 г. Ян Старший из Жеротина. В новом объекте работали христианские учёные, здесь была печатная мастерская, в которой позже, после перемещения в г. Кралице, была напечатана знаменитая Краливкая библия. Род Жеротинов создал в замке обширную библиотеку, которая после битвы на Белой Горе была перевезена в польский г. Лешно и во время 2-й мировой войны, к сожалению, была в г. Вратислав уничтожена. Карел Старший из Жеротина продал замок Албрехту Вальдштейнскому, от него перешёл во владение Вердербергов, последним им владел вплоть до 1945-го года род Хаугвицов. Затем служил в качестве резиденции президента страны, а в 1952 г. здесь были размещены экспозиции.

Na přípravě a realizaci této knihy se podílely následující firmy.

Bei der Vorbereitung und Realisierung dieses Buches beteilingten sich folgende Firmen.

This book has been prepared and published with the help of firms named below.

В подготовке и реализации книги приняли участие следующие фирмы.

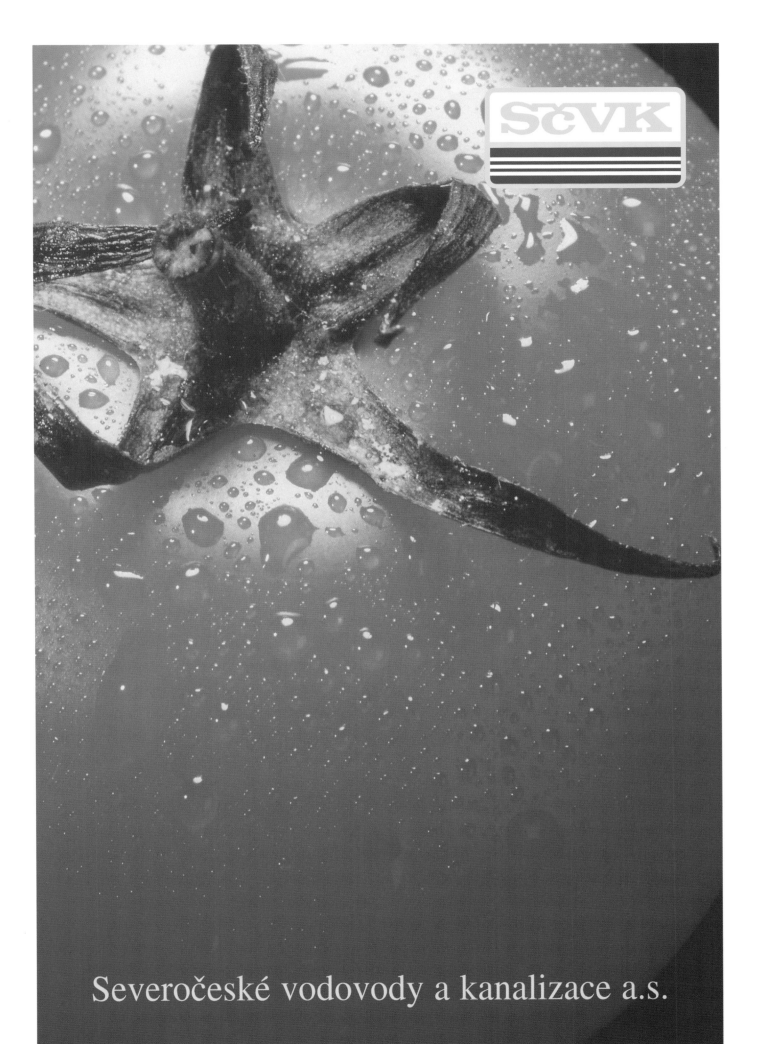

Severočeské vodovody a kanalizace a.s.

Elektrárna Mělník

ČEZ, a. s., Elektrárna Mělník, 277 03 Horní Počaply
informační středisko: tel.: 0206/61 20 15, tel.: 0206/61 11 11, fax: 0206/62 68 40
bankovní spojení: KB Mělník, č. ú.: 1707 - 171/0100
IČO: 45274649 DIČ: 001-45274649

vyrábíme
KVALITNÍ
POHONNÉ HMOTY

zásobujeme
VĚTŠINU
ČERPACÍCH STANIC
V ČESKÉ REPUBLICE

jsme šetrní
K ŽIVOTNÍMU
PROSTŘEDÍ
I K LIDEM

rafinérie
V S R D C I E V R O P Y

Česká rafinérská

RAFINÉRIE LITVÍNOV:

436 01 Litvínov, P. O. Box 47

tel: 035 – 616 11 11, fax: 035 – 616 50 86

RAFINÉRIE KRALUPY:

278 01 Kralupy nad Vltavou, P. O. Box 96,

tel.: 0205 – 70 21 11, fax: 0205 – 250 00

e-mail: info@crc.cz

internet: http://www.crc.cz

AKCIONÁŘI:

Unipetrol, a. s.

AgipPetroli International B. V.

Conoco Inc.

Shell Overseas Investments B. V.

ČEZ

Elektrárny Prunéřov

ČESKÝ PORCELÁN

akciová společnost

DUBÍ

Original Blue Onion China

The best of the best

Production:
Český porcelán, a.s.
Tovární 17
417 01 Dubí, ČR
Tel.: +420 417 518 111
Fax: +420 417 571 968
E-mail: obchod@cesky.porcelan.cz
Http: www.cesky.porcelan.cz

Mostecká uhelná společnost, a.s.
V. Řezáče 315, 434 67 Most, tel.: 035/620 11 11, fax: 035/620 34 81
e-mail: mail@trade.mus.cz, internet: www.mus.cz

Uhlí těžené v mostecké hnědouhelné pánvi vyniká vysokou výhřevností. ● Technologie zpracování se neustále vyvíjí. Cílem je, aby náš produkt splňoval stále rostoucí požadavky zákazníků a přitom byl šetrný k životnímu prostředí. ● Speciální druhy našeho uhlí slouží efektivnímu a ekologickému vytápění v automatických kotlích vyráběných dceřinou společností VARIMATIK SLOKOV, a.s. ● Na obnovu mostecké krajiny zasažené těžbou vynakládáme ročně více než půl miliardy korun. ● Mostecký Hipodrom je jedním z výsledků naší rekultivační činnosti, která je s respektem uznávána na celém světě. ● Budoucnost Mostecka není pouze v péči o životní prostředí. Proto jsme již tradičním sponzorem školství a zdravotnictví v našem regionu. ● Podporujeme také řadu regionálních aktivit v oblasti kultury a sportu. Jsme mimo jiné generálním partnerem FC MUS Most. ● Jako tradiční česká a současně moderní společnost se silným zahraničním partnerem si pokládáme za čest být generálním sponzorem Národního muzea.

Most do příštího tisíciletí

UNIKÁTNÍ SAMONOSNÝ HALOVÝ SYSTÉM

Nejefektivnější a nejrychlejší výstavba HAL.

Výstavba se počítá na hodiny, životnost systému naproti tomu není menší než půl století!

Maximální životnost tohoto systému je dána výjimečnou technologií výstavby (vytváření konstrukčních samonosných prvků přímo na staveništi) při použití speciálních ušlechtilých ocelových svitků s povrchovou úpravou PVdF o životnosti minimálně 50 let.

Minimální stavební připravenost (základové pasy) je dána lehkostí systému.

Halový systém K-SPAN lze použít jako jedno nebo vícelodní, přičemž rozpon haly lze realizovat přesně dle přání zákazníka - libovolně.

Barvu haly si můžete zvolit ze 100 barevných odstínů. Volba barvy nemá vliv na nabídkovou cenu.

Halu provedeme „na klíč" zateplenou nebo nezateplenou se všemi doplňky dle Vašeho přání.

Tento systém byl využit již na více než 120 halových stavbách v ČR.

ARCH-GLOBAL

Zimní stadion HC Košice (SK)

Tenisové haly hotelu Harmony - Špindlerův Mlýn

Výrobní hala - Votice

Zastřešení sportovní víceúčelové haly (USA)

Mountfield

Obchodní centrum (USA)

Prodejní centrum - Mělník

ARCH GLOBAL, s.r.o.
Táboritů 2122/73
434 01 Most (CZ)
tel./fax: 035/42 603
fax: 035/612 37 11

Obchodní zastoupení Praha:
Cimburkova 850/29
130 00 Praha 3 - Žižkov (CZ)
tel./fax: 02/227 804 81

ARCH-GLOBAL

e-mail: arch.global@pha.inecnet.cz

CERTIFIKÁT CZ č. 04-2208

Z referenčních staveb uvádíme:

- Tenisová škola AM COMPAKT Praha – Troja, TK Piešťany
- Sportovní klub Ronja Znojmo (nominace na titul „Stavby roku")
- Tělocvičny – Gymnázium Chomutov, OÚ Březí, ZŠ Kladno atd.
- Potravinářský komplex Senica (5000 m²)
- Administrativní centrum Brno, Praha – Hostivař atd.
- Stavebniny Řitka u Prahy
- Výrobní hala sklárny Kavaliér Votice
  a dalších více než 100 hal.

OHLEDUPLNÉ K PŘÍRODĚ - PROSPĚŠNÉ LIDEM

Vodní elektrárny

- plně využívají stále se obnovujícího přírodného zdroje t.j. energie vody, kterou Slunce neustále a zdarma přemisťuje z moře a povrchu Země do atmosféry

- vyrábějí elektrickou energii čistě a tedy ekologicky - při výrobě se nespotřebovávají žádné suroviny a proto nevzniká žádný odpad

- výrobou el. energie z vody umožňují v ČR snížit výrobu z parních elektráren a tím odlehčit naše životní prostředí o škodlivé zplodiny oxidů dusíku a síry a o skládky tuhých odpadů

- na rozdíl od tepelných elektráren (uhelných, plynových, mazutových) neprodukují ani CO_2, který rozhodujícím způsobem vytváří nežádoucí skleníkový efekt v naší atmosféře

- pouze špičkové vodní elektrárny a přečerpávací vodní elektrárny jsou schopny velmi rychle reagovat na velké změny zatížení sítě a mají proto zásadní význam pro provoz energetické soustavy ČR

- vyrábějí elektrickou energii levně a jejich životnost je několikanásobně větší, než u jiných zdrojů elektrické energie

252 07 Štěchovice, ul. prof. Vl. Lista 329, tel.: 02/99 410 88-90, fax: 02/99 413 08